*Chères lectrices,*

Le mois de mai est enfin arrivé ! Et le printemps est là, qui chasse les jours mauvais, gris et pluvieux, de cet hiver trop long. Le bleu du ciel est un enchantement pour le cœur, le soleil vient réchauffer notre corps engourdi. Comme il est bon de s'étirer, de respirer profondément, de prendre le temps de flâner… et de rêver à des pays lointains où nous pourrions connaître les délices d'un printemps éternel.

C'est ce que va vivre Samantha (*Le prince de ses nuits*, Azur n° 2684) en s'installant au cœur de Hunter Valley, en Australie. Non seulement elle va réaliser son rêve de toujours — s'occuper de chevaux —, mais elle va découvrir, émerveillée, une magnifique région de vignobles, une terre aux ciels infinis et aux mille nuances d'or et de vert. C'est dans ce décor très romantique que Samantha va rencontrer l'amour, un amour qui va bouleverser toute sa vie.

Avec elle (et toutes vos autres héroïnes de ce mois-ci…), laissez-vous emporter par le souffle de la nature et de la passion.

Très bonne lecture.

*La responsable de collection*

# Le venin du doute

LUCY MONROE

# Le venin du doute

COLLECTION AZUR

*éditions*Harlequin

*Cet ouvrage a été publié en langue anglaise
sous le titre :*
THE GREEK'S INNOCENT VIRGIN

*Traduction française de*
DOMINIQUE BOUDRY

HARLEQUIN®

est une marque déposée du Groupe Harlequin
et Azur " est une marque déposée d'Harlequin S.A.

*Toute représentation ou reproduction, par quelque procédé que ce soit, constituerait
une contrefaçon sanctionnée par les articles 425 et suivants du Code pénal.*
© 2005, Lucy Monroe. © 2007, Traduction française : Harlequin S.A.
83-85, boulevard Vincent-Auriol, 75013 PARIS — Tél. : 01 42 16 63 63
Service Lectrices — Tél. : 01 45 82 47 47
ISBN 978-2-2802-0589-4 — ISSN 0993-4448

# 1.

Rachel Long s'écarta de la tombe fraîchement retournée. On venait d'enterrer sa mère, et elle ne ressentait rien.

Andrea Demakis était morte à l'âge de quarante-cinq ans, mais la brièveté de son existence n'inspirait aucune révolte à la jeune femme. Pas plus qu'elle n'éprouvait de douleur devant sa disparition, ou de peur face à l'avenir. Elle était comme engourdie, indifférente.

En tout cas, le tourbillon hystérique dans lequel sa mère plongeait son entourage ne la menacerait plus… L'épée de Damoclès constamment suspendue au-dessus de sa tête ne s'abattrait plus pour bouleverser sa vie. Curieusement, pourtant, elle ne se sentait pas libérée. Même pas soulagée. La mort avait simplement mis un point final à leurs relations chaotiques.

Sans qu'elle eût besoin de les diriger, ses pas l'éloignèrent de la dernière demeure d'une femme qui n'avait vécu que pour la satisfaction de son plaisir personnel.

La cérémonie était terminée depuis longtemps et l'assistance s'était dispersée. Tout le monde était parti, sauf elle et Sebastian Kouros, prostré de chagrin devant la tombe de son grand-oncle. C'était lui qui avait jeté la première poignée de terre sur le cercueil, raide et stoïque malgré la chaleur implacable du soleil de Grèce.

Devant lui, elle marqua un temps d'arrêt, cherchant ses mots.

Mais fallait-il absolument dire quelque chose ?

La famille de Sebastian avait toujours tenu en piètre estime sa mère, en qui elle ne voyait qu'une vulgaire aventurière. Manifestement, tous ceux qui étaient là aujourd'hui semblaient considérer que la fille était taillée dans la même étoffe. Leurs regards accablants de mépris étaient éloquents. Sebastian avait bien été le seul à ne jamais reporter sur Rachel l'aversion qu'il éprouvait pour sa mère. Il s'était toujours montré extrêmement gentil, protecteur même, comme si la timidité de la jeune femme le touchait.

C'était lui qui avait convaincu son grand-oncle de financer les études universitaires de Rachel. Mais il n'ignorait pas plus que les autres ce qui avait causé la mort de l'homme qu'il chérissait tant, et sa tolérance avait peut-être atteint ses limites.

Au cours des six années qu'avait duré son union avec Andrea, Matthias Demakis avait malheureusement mis plusieurs fois déjà son existence en danger. Sa jeune épouse lui lançait toujours des défis ridicules, le poussant à exécuter des prouesses qui ne convenaient pas à un homme de son âge. Il s'en était toujours sorti. Mais cette fois-là, il avait stupidement perdu la vie dans un accident de voiture parce qu'il avait bu avant de prendre le volant. Sans doute pour calmer ses nerfs, après une dispute particulièrement éprouvante avec Andrea.

Il l'avait surprise au lit avec un autre homme... Une fois de plus. Ils s'étaient querellés en public et avaient quitté la réception dans une véritable atmosphère de scandale. La mère de Rachel avait d'abord refusé de partir, mais comme Matthias menaçait de divorcer en la laissant sans le sou, elle avait fini par l'accompagner. Elle était de ce genre de femmes qui ne connaissent pas la honte. Elle n'était guidée que par l'intérêt.

Ils étaient morts tous les deux.

Quels mots Rachel aurait-elle pu prononcer pour adoucir le chagrin de l'homme qui se tenait devant elle ?

Rien ne gommerait jamais la douleur qu'il avait éprouvée au cours de ces années terribles. Rien ne le consolerait de la perte d'un homme qui lui avait tenu lieu de père.

Malgré tout, ce fut plus fort qu'elle, elle tendit le bras pour poser une main tremblante sur la sienne.

— Sebastian ?

Le frôlement des doigts de la jeune femme et le son de sa voix obligèrent Sebastian Kouros à sortir de son état de stupeur. Maîtrisant la rage qui bouillonnait en lui, il se tourna vers Rachel, qui lui parut plus frêle et plus fragile encore que d'ordinaire.

— Qu'y a-t-il, *pethi mou* ?

Il conservait machinalement le terme affectueux que son grand-oncle utilisait avec elle depuis le tout premier jour où il avait fait sa connaissance.

— Je sais à quel point il va te manquer. Je suis désolée.

Ses paroles touchaient une zone sensible, dangereuse, qu'il valait mieux ignorer s'il ne voulait pas s'effondrer. Du haut de son mètre quatre-vingt-dix, il baissa les yeux sur elle. Mais elle avait la tête penchée et il n'aperçut que ses cheveux bruns serrés en un chignon strict.

— Moi aussi, je suis désolé.

Elle leva vers lui ses grands yeux verts.

— Il n'aurait jamais dû épouser ma mère.

— Ce mariage a pourtant transformé ton existence, non ?

Une rougeur colora ses joues pâles, mais elle hocha la tête.

— A mon plus grand avantage, je le reconnais.

— Malgré tout, tu as choisi d'aller travailler aux Etats-Unis, et de te contenter, tous les ans, d'un petit séjour estival en Grèce.

— J'aurais été de trop, ici.

— As-tu au moins essayé de trouver ta place ?

Une ombre voila le regard de Rachel.

— Je n'en avais pas la moindre envie. Je ne me suis jamais sentie à l'aise dans le tourbillon de leur vie sociale.

— Tu aurais pu te forcer un peu pour l'homme qui avait tant fait pour toi. Ta présence aurait réchauffé ses vieux jours en atténuant les effets dévastateurs de l'égoïsme de ta mère.

Rachel se recula vivement, comme si le contact de Sebastian l'avait brûlée.

— Je ne pouvais rien pour lui.

— Vraiment ?

Au fond de lui-même, il savait bien qu'elle avait raison. Mais sa douleur, insupportable, l'empêchait d'être objectif.

— Tu as tiré profit de ce mariage, reprit-il. En contrepartie, tu aurais pu au moins essayer de tempérer le comportement de ta mère.

— J'étais incapable d'exercer la moindre influence sur elle.

En dépit de la fermeté de sa voix, son expression était empreinte de culpabilité. A l'évidence, elle aussi se demandait si quelque chose aurait pu briser la spirale infernale qui avait entraîné Matthias Demakis vers le fond.

— Je n'aurais rien pu faire, répéta-t-elle.

— Tu n'as même pas eu envie d'essayer…

Elle tressaillit sous l'accusation à peine dissimulée.

— J'avais abandonné depuis bien longtemps toute tentative de changer le comportement d'Andrea.

Conscient de l'avoir blessée, Sebastian éprouva un besoin irraisonné de déposer un baiser sur le pli maussade qui se creusait aux commissures de ses lèvres.

Il avait envie de savoir si une lueur de désir s'allumerait alors dans les yeux verts de la jeune femme.

Non. Il n'avait pas le droit de se laisser glisser sur cette pente, alors même que la douleur d'un deuil tout proche le tenaillait.

Depuis longtemps, il luttait contre le désir irrépressible que lui inspirait cette belle jeune fille réservée. Son éducation d'homme grec ne parvenait pas à faire cohabiter en lui l'émotion qu'il ressentait devant Rachel avec le mépris qu'il avait éprouvé envers la femme égoïste et futile qui lui avait donné naissance.

Rachel pénétra tout en émoi dans le bureau au décor masculin et solennel.

Matthias y avait régné en maître, comme sur toute la villa immense qui dominait l'île, propriété privée des Demakis. Du moins jusqu'à l'arrivée d'Andrea, qui avait tout refait à son idée. Mais elle n'avait pas pu toucher à cette pièce qui avait conservé ses lambris et ses fauteuils de cuir rouge, et dans laquelle Rachel avait connu deux des meilleurs moments de son existence. Le soir où Matthias, en dépit des demandes de sa jeune femme, avait dispensé Rachel d'assister aux réceptions de sa mère. Et le jour où le vieil homme lui avait annoncé qu'il l'envoyait aux Etats-Unis pour y poursuivre des études à l'université.

Il s'agissait cette fois-ci d'une circonstance infiniment plus pénible, puisqu'on allait procéder à la lecture des testaments. Depuis sa conversation avec Sebastian, la veille, au cimetière, Rachel était restée pratiquement enfermée dans sa chambre. Elle n'avait aucune envie de s'offrir à la vindicte des familles Kouros et Demakis, qui n'auraient pas manqué de l'accabler de reproches. Même si elle comprenait leur chagrin et leur colère, elle ne se sentait absolument pas responsable des actes de sa mère, et peu lui importait, au fond, l'animosité des deux familles.

En revanche, ce qui lui faisait mal, c'était que Sebastian lui ait reproché d'avoir gardé ses distances, sans essayer de s'interposer, de faire entendre raison à sa mère. Un coup de poignard ne lui aurait pas infligé pire douleur.

Le seul homme au monde qui lui avait jamais inspiré du désir, le seul en qui elle avait une confiance absolue, la haïssait

11

donc ? Quoi d'autre, sinon ? Il n'avait pas mâché ses mots, au cimetière… Si elle était malheureuse, ce n'était pas à cause de la mort de sa mère, mais parce qu'elle venait de comprendre que Sebastian lui serait à jamais inaccessible.

Et pour quel crime ? Celui, tout simplement, d'être la fille d'Andrea. Cesserait-elle un jour de souffrir de la situation ? N'avait-elle pas déjà assez payé, depuis vingt-trois ans ? Pourquoi ne la laissait-on pas tranquille, maintenant que sa mère était morte ?

— Vous ne vous asseyez pas, miss Long ?

La voix du notaire la ramena à la réalité. Le vieil homme aux cheveux blancs, qui s'occupait des affaires des Demakis depuis de nombreuses années, conservait une vitalité étonnante qu'on ne pouvait manquer d'admirer.

Un peu comme Matthias… avant son mariage désastreux avec une femme de vingt-cinq ans sa cadette.

Evitant soigneusement de croiser les regards, Rachel prit place dans un fauteuil en retrait, à côté de la bibliothèque. Elle lissa nerveusement l'étoffe de son pantalon crème, à l'élégance discrète, et attendit.

Philippa Kouros, mère de Sebastian et nièce de Matthias, pénétra à son tour dans la pièce et s'assit à côté de son fils qui se pencha galamment pour l'aider, avant d'adresser un signe au notaire.

Le testament d'Andrea ne réservait aucune surprise. Il était habilement rédigé de façon à flatter la susceptibilité de son mari, auquel elle léguait tous ses biens. Sauf dans l'éventualité où il mourrait avant elle, et dans ce cas c'est à sa fille qu'elle léguait tout.

Les dernières volontés de Matthias Demakis, en revanche, se révélèrent plus inattendues. A part quelques souvenirs d'une valeur uniquement sentimentale qu'il destinait aux membres de sa famille et à Rachel, la totalité de sa fortune et la villa revenaient à Sebastian.

Il n'avait pris aucune disposition à l'égard de sa jeune épouse, et ne laissait pas d'instructions à son neveu la concernant. Lorsqu'on savait le peu d'estime dans laquelle tout le monde la tenait, on comprenait la profondeur de son désenchantement. Il en avait eu vite assez des frasques et des scandales de sa femme...

Après avoir reposé le document sur le bureau, le notaire fixa ses yeux bleus sur Rachel, ce qui eut pour effet d'attirer sur elle l'attention de toute l'assistance.

La jeune femme aurait voulu disparaître sous terre...

— Le médecin légiste n'a pas pu déterminer lequel des occupants de la voiture était mort en premier, énonça le vieil homme avant de diriger son regard sur Sebastian. Mais je suis sûr que personne ne s'opposera à ce que Rachel hérite de tout ce que sa mère possédait personnellement.

Sebastian secoua la tête imperceptiblement.

Rachel demeura imperturbable. Elle n'éprouvait aucune satisfaction à hériter de possessions si mal acquises... Et sa mère avait emporté dans la tombe la seule chose qui lui tenait à cœur : l'identité de son père...


Sebastian releva la tête en entendant frapper. La porte du bureau était ouverte, mais Rachel demeurait sur le seuil, sans entrer, le visage dans l'ombre.

Cyniquement, il s'attendait à cette visite, mais il aurait malgré tout préféré se tromper... Il lui adressa un signe d'impatience.

— Ne reste pas debout dans le couloir. Entre.

Elle fit un pas timide, comme une biche effarouchée par la vue d'un chasseur.

— Je ne veux pas te déranger...

— Si j'avais voulu être seul, j'aurais fermé la porte.

— Bien sûr.

Elle inspira profondément et garda les poings serrés, en évitant de croiser son regard.

— Aurais-tu un moment à m'accorder ? Il y a deux ou trois choses dont je voudrais discuter avec toi.

Il lui indiqua d'un signe de tête l'un des deux fauteuils de cuir rouge que sa mère et lui avaient occupés pendant la lecture des testaments.

— Assieds-toi. Je devine ce qui t'amène. Nous trouverons certainement un arrangement à l'amiable.

Pour lui, le doute n'était pas possible : malgré le calme qu'elle avait manifesté devant tout le monde, Rachel ne pouvait manquer d'être terriblement déçue des dispositions testamentaires du vieil homme. En digne fille d'Andrea, elle ne pouvait pas laisser filer sous son nez un héritage aussi fabuleux…

La petite collection de livres sur la culture hellénistique n'avait qu'une valeur affective. Matthias les lui avait légués en souvenir des soirées qu'il avait passées à lui raconter des histoires mythologiques. Si elle les vendait, elle n'en retirerait que quelques milliers de dollars.

Sebastian avait une bonne raison d'accorder quelques compensations à Rachel… Le silence de la jeune femme sur les années que sa mère avait vécues avec Matthias Demakis. Il n'avait aucune envie de voir la vie privée de son oncle s'étaler en première page des tabloïds. Car les patrons de presse étaient certainement prêts à payer très cher la moindre de ses confidences.

Rachel prit place en face de lui. Perdue dans ce grand fauteuil, elle avait presque l'air d'une enfant. Ou plutôt d'une fée, tout droit sortie d'un merveilleux livre d'images. Elle était aussi modeste et conventionnelle que sa mère avait été tapageuse et cupide. Sebastian, prompt à s'enflammer, ne put que constater, une fois encore, à quel point il était sensible à son charme. Mais ces qualités n'étaient-elles pas uniquement des apparences ?

Qu'allait-il découvrir, au cours de leur conversation, derrière cette façade d'innocence ?

— Tu me surprends à peine en me disant que tu m'attendais, commença-t-elle avec un petit sourire. Tu es très perspicace.

— Certainement plus que mon oncle, je te l'accorde. Quoiqu'il ait retrouvé son bon sens pour rédiger son testament.

Les traits délicats de Rachel se figèrent.

— C'est le motif de ton entretien, j'imagine ? reprit-il.

— D'une certaine manière, oui.

La jeune femme se redressa et croisa les jambes, avant de poursuivre :

— Il va falloir que je rentre aux Etats-Unis assez rapidement. Mon travail m'attend…

— Oui ?

— Et il faut trier les affaires de ma mère.

— Veux-tu que les domestiques s'en chargent ?

— Non, protesta-t-elle avec un moue choquée. Ce ne serait pas correct. Mais je voudrais savoir ce que tu vas en faire.

— Ce n'est tout de même pas à moi d'en décider.

— J'ai envisagé de tout donner à des œuvres de charité, mais Matthias lui avait probablement offert des bijoux de famille dont tu préférerais ne pas te séparer.

« Ah ! Nous y voilà… », songea Sebastian.

— Tu veux que je te les rachète ?

Elle écarquilla les yeux avec une expression de profonde incrédulité.

— Ne sois pas ridicule ! Je te demande seulement de me dire lesquels tu veux garder. Si tu n'as pas le temps, ta mère peut le faire à ta place. De cette façon, je ne craindrai pas de donner des pièces auxquelles ta famille pourrait tenir.

— Donner ? répéta-t-il, incrédule. Tu veux donner les affaires de ta mère ?

— Oui, répondit-elle sur le ton de l'évidence.

Un sourire de stupéfaction se peignit sur les lèvres de Sebastian.

— Pour être tout à fait franche, je serais soulagée que quelqu'un se charge de les trier assez vite. Avant l'arrivée des transporteurs.

— Des transporteurs ?

— J'ai pris contact avec une association internationale qui s'occupe des enfants défavorisés dans le monde. Elle va organiser une vente aux enchères d'un certain nombre d'objets et réinvestir les bénéfices dans des villages SOS.

Tout à coup, il regarda, comme s'il comprenait seulement le sens des propos de Rachel.

— Tu ne veux rien garder en souvenir, c'est bien ça ?

— C'est bien ça, confirma-t-elle, impassible.

— Mais rien qu'avec la vente de ses vêtements, tu ramasserais probablement plusieurs milliers de dollars.

— Voilà une excellente nouvelle pour les œuvres de charité.

— Ça te laisse indifférente ?

Il refusait d'y croire. C'était impossible. Personne n'était à ce point désintéressé.

— Et l'appartement de New York, reprit-il. Tu comptes t'en défaire aussi ?

— Elle avait un appartement à New York ? demanda Rachel, visiblement surprise.

— Oui. Tu ne vas pas t'en débarrasser ?

— Non…

— Cela m'aurait tout de même étonné.

— Une fois que tu auras dressé l'inventaire, tu le récupéreras avec tout le reste.

16

Sebastian se leva, si brutalement qu'il renversa sa chaise.

— Qu'est-ce que tu manigances ? explosa-t-il.

Elle pâlit, décroisa les jambes et s'avança tout au bord du fauteuil.

— Mais rien ! répondit-elle avec une assurance tranquille. Tu avais peut-être raison, en me reprochant de ne pas avoir freiné la conduite d'Andrea. C'est vrai que je n'ai même pas essayé. En tout cas, je refuse de tirer le moindre avantage personnel de la situation.

De deux choses l'une. Soit Rachel était une excellente comédienne, soit elle était sincère.

— Inutile d'en faire trop, répliqua-t-il sur un ton irrité. Même si ta mère a manipulé mon grand-oncle, elle ne l'a pas ruiné pour autant.

Il se moquait éperdument des quelques propriétés et voitures de luxe que Matthias avait offertes à Andrea au cours des six dernières années. C'étaient les préjudices personnels dont il lui tenait grief, pas le coût matériel.

— Tes avocats résoudront ces problèmes sans difficulté, reprit Rachel posément. Ce dont la famille ne voudra pas sera vendu ou donné.

— Matthias aurait refusé que tu te dépouilles pour réparer des erreurs du passé. Moi-même, je ne cautionnerai pas de tels actes.

Rachel secoua la tête avec un sourire amusé.

— Ton autoritarisme me stupéfie.

— Vraiment ? répliqua-t-il, sans savoir comment il fallait interpréter ces paroles.

— Oui. Tu ne doutes vraiment pas d'arriver à tes fins et de m'imposer ton bon vouloir.

— Et tu trouves ça comique ?

Elle eut une moue réprobatrice.

— Il ne te vient même pas à l'idée que c'est à moi de prendre mes décisions. De toute façon, même si tu ne veux rien récupérer, je me débarrasserai de ce qui a appartenu à ma mère.

La mine sombre, elle ajouta, d'un ton sans appel :

— Je ne veux rien garder. Rien du tout.

— Que tu le veuilles ou non, tu as tout de même hérité de ses gènes, rétorqua-t-il cyniquement, sans réfléchir.

Rachel blêmit et il regretta immédiatement ses propos en proférant un juron en grec.

Elle se leva, chancelante, et lui décocha un regard meurtrier.

— Si les papiers ne sont pas prêts avant mon départ, je m'occuperai de régler tout ça depuis les Etats-Unis.

Puis elle tourna les talons furieusement et s'éloigna, tandis que Sebastian se maudissait. Qu'est-ce qui lui avait pris, de prononcer des mots aussi blessants ?

Rachel venait pourtant de lui prouver à quel point elle était différente de sa mère. Il s'était montré injuste et offensant d'une façon complètement gratuite !

Il ne se souvenait pas d'avoir jamais présenté des excuses à une femme, mais c'était pourtant ce qu'il allait faire...

Assise en face de Philippa Kouros, Rachel se demandait pourquoi elle s'était finalement laissé convaincre de descendre pour le dîner. Sans doute par peur de paraître impolie en restant dans sa chambre une fois de plus. Sebastian réclamait sa présence pour le repas et elle n'avait pas osé lui désobéir.

Pourtant, que lui importait l'opinion de ce tyran ? Malgré toute la gentillesse dont il s'était montré capable par le passé, il ne valait pas mieux que les autres et la jugeait à travers le prisme déformant de la personnalité de sa mère. Il était temps d'oublier ses rêveries d'adolescente fascinée par le jeune homme qu'il avait été et de bannir de son esprit l'image de son héros déchu. Il fallait consommer la rupture avec les familles Kouros et Demakis.

Néanmoins, elle se surprit à entamer la conversation avec la mère de Sebastian, tandis que ce dernier quittait la table pour prendre une communication internationale. L'autre fils de Philippa, Aristide, était reparti très vite après les obsèques. Il se lisait une telle tristesse dans les yeux de cette femme que Rachel se sentait incapable de demeurer indifférente. Connaissant sa passion pour le jardinage, elle entreprit de lui parler de ses plantations d'herbes aromatiques dans le patio de son appartement citadin.

— Le basilic et la menthe poussent très bien en pots, expliqua Philippa. Mais… je ne vous imaginais pas intéressée par la botanique. Votre mère avait horreur de se salir les mains.

— Ma mère et moi avions très peu de chose en commun…

— Quel dommage.

— Oui.

Que dire d'autre ?

— Une mère et une fille ont tant de joie à partager des goûts ou des activités qui les rapprochent. J'ai beaucoup appris de ma mère.

— C'était sûrement une femme exceptionnelle.

Philippa hocha tristement la tête.

— Tout comme son frère. Matthias et elle étaient très proches.

— Avez-vous transmis à vos fils la passion du jardinage ? demanda Rachel pour distraire Philippa de son chagrin.

Cette dernière sourit avec indulgence.

— Aucun des deux n'est assez patient pour ce genre de hobby.

Elle soupira.

— J'ai deux fils merveilleux, mais j'aurais adoré avoir une fille.

— Je suis sûre que vous serez une belle-mère épatante, quand ils se marieront, déclara Rachel, tout en faisant taire en elle un douloureux pincement au cœur.

De nouveau, Philippa secoua la tête.

— Ils sont bien trop occupés pour songer à fonder un foyer. A trente ans, Sebastian n'a encore jamais vraiment fréquenté une femme sérieusement.

— Le temps viendra sûrement…

Mais elle s'interrompit en apercevant l'expression étrangement triste de Philippa. De toute manière, Sebastian les rejoignit à ce moment-là.

— *Mama*, j'ai un service à te demander…

— De quoi s'agit-il, mon fils ?

— Rachel a l'intention de donner son héritage à des associations, et elle ne voudrait pas priver la famille d'objets qui pourraient revêtir une valeur sentimentale.

Il se tourna vers Rachel comme pour réclamer son approbation, et elle confirma d'un signe de tête.

— Vous voulez que je vous aide à trier les affaires de votre mère ? interrogea Philippa, étonnée.

— Celles de sa chambre, en tout cas.

— Gardez tout, vous serez contente d'avoir des souvenirs.

— Non.

— Cela vous réconfortera quand vous penserez à elle.

— Je serai davantage rassérénée en sachant que des enfants pauvres en auront profité.

— Je comprends. Vous pouvez compter sur moi.

La lueur de compassion qui s'alluma dans les yeux de Philippa lui fit chaud au cœur.

— Merci, répondit-elle, sincèrement touchée.

*
* *

La fragrance sucrée du jasmin se mêlait à l'odeur chaude et salée de la mer. Rachel enfouit ses pieds nus dans le sable. Incapable de dormir, elle était descendue jusqu'à la petite plage, en espérant qu'une promenade apaiserait son esprit.

Mais c'était son corps qui posait un problème et ne trouvait pas le repos.

La proximité de Sebastian produisait toujours sur elle cet effet troublant, terriblement dérangeant. Le reste du temps, elle ne pensait pas à ses sens ni à sa féminité. Pas étonnant, après ce qui lui était arrivé à seize ans. Mais cet homme, magnat des affaires doublé d'un don Juan, anéantissait les défenses qu'elle avait si solidement érigées contre la gent masculine.

Cruelle ironie du sort, elle était probablement la femme qui l'intéressait le moins au monde ! Elle ne pouvait s'empêcher de penser que s'il prêtait parfois attention à elle, c'était uniquement par égard pour son grand-oncle, qui la traitait avec beaucoup de tendresse et d'affection.

Mais elle avait beau se raisonner, son cœur continuait à battre la chamade et ses sens s'emballaient.

— Que fais-tu ici, *pethi mou* ?

Elle sursauta violemment au son de sa voix et recula sur des jambes flageolantes pour échapper à cette présence masculine toute proche, trop proche. Ses pieds rencontrèrent le sable humide, puis l'eau.

— Sebastian !

Il l'agrippa par les épaules pour l'empêcher de tomber.

— Tu ne m'avais pas entendu venir ?

Elle secoua la tête d'un air confus, tandis qu'il la tirait vers lui, sur le sable sec.

— J'ai pourtant fait du bruit, pour ne pas te faire peur, justement.

— Je… Je réfléchissais, bredouilla-t-elle.

Elle sentait la tiédeur de ses doigts au travers des manches de son chemisier et le parfum musqué, épicé, de son eau de toilette envahissait son esprit embrumé. La forme de ses muscles bien dessinés sous le T-shirt noir ressortait au clair de lune. Il était habillé d'un simple short, et ses jambes bronzées paraissaient interminables. Baissant les yeux, Rachel aperçut ses doigts de pieds nus, à quelques centimètres seulement des siens.

Pour une raison obscure, ce détail lui sembla soudain beaucoup trop intime.

# 2.

— Tu étais très absorbée par tes pensées, remarqua Sebastian.

— Oui.

Paradoxalement, c'est précisément parce qu'elle pensait trop fort à lui qu'elle n'avait pas senti sa présence.

— Pourquoi n'es-tu pas en train de dormir ?

Se rendait-il compte qu'il la tenait encore par les épaules ? Elle essaya de se dégager, sans y parvenir.

— Une insomnie…, marmonna-t-elle faiblement.

— C'est bien compréhensible. Ta mère est morte depuis une semaine à peine…

— Oui…

Elle dut faire un effort surhumain pour ne pas se réfugier dans l'étreinte rassurante de ses bras puissants. Elle n'éprouvait pas seulement un désir physique pour lui. Il lui inspirait autre chose. Une chose qu'elle n'avait jamais connue et qu'elle ne connaîtrait jamais, après l'enfance et l'adolescence qu'elle avait vécues : l'amour, le besoin de sécurité. La promesse de lendemains indéfectibles.

— C'est bien naturel, reprit-il. La mort de Matthias a aussi bouleversé toute la famille.

Même si c'était le chagrin qui l'empêchait de dormir, lui aussi, il n'en dirait pas davantage car il se livrait peu. Quant à

Rachel, elle devait reconnaître que le sentiment le plus fort, en elle, était le soulagement. Désormais, elle n'aurait plus à pâtir de la mauvaise réputation de sa mère, ni à supporter le poids de sa moralité douteuse.

Elle humecta ses lèvres tout en s'efforçant de concentrer son attention, alors que la proximité physique de Sebastian semait la dévastation dans son être.

— Matthias était un homme plein de bonté.

Sebastian la lâcha, sans reculer pour autant.

— Oui, c'est vrai… Mais j'ai tendance à oublier que je ne suis pas le seul à souffrir… Pour toi aussi, c'est diffcile.

— Que veux-tu dire ?

— Je n'ai pas été très gentil avec toi, cet après-midi. Pardonne-moi.

A en juger par son ton guindé, il lui en coûtait de présenter des excuses. Cela ne devait pas lui arriver souvent…

— Ne t'inquiète pas, ce n'est pas grave.

— Je t'ai blessée, alors que tu étais déjà assez malheureuse comme ça.

Etait-il bourrelé de remords à ce point ?

— Ne te fais pas de soucis. J'ai l'habitude de ce genre de commentaires, observa-t-elle gauchement.

Agacée par sa propre maladresse, elle posa la main sur le bras de Sebastian pour le réconforter.

— Je ne suis pas fâchée, reprit-elle. Matthias était quelqu'un de bien. Je suis désolée que ma mère et lui soient morts dans des conditions aussi abominables. Je ne t'en veux pas pour ta franchise.

Une expression indéchiffrable passa sur les traits de Sebastian.

— Un instant, j'ai craint que tu ne racontes l'histoire de ta mère aux journalistes de la presse à scandales. Mais je me suis trompé, je m'en rends compte, maintenant.

Un frisson d'horreur la parcourut.

— Jamais je ne ferais une chose pareille !

— Andrea, elle, adorait se faire remarquer, par n'importe quel moyen.

— Je suis malheureusement bien placée pour le savoir !

— Tu en as souffert ?

— Enormément. Enfant, on se moquait de moi à cause d'elle. Et j'ai été renvoyée de deux écoles privées à cause de ses écarts de conduite.

Andrea avait eu une liaison tapageuse avec l'un des professeurs de sa fille, et le couple avait été surpris en flagrant délit d'adultère par l'épouse. La deuxième fois, la police l'avait arrêtée parce qu'on avait trouvé de la cocaïne dans son sac à main.

— Je n'ai pas eu beaucoup plus de chance par la suite, poursuivit Rachel songeusement. Alors que je rêvais d'être une petite étudiante anonyme, ma mère a défrayé la chronique en faisant la une de tous les journaux.

Elle venait d'épouser un armateur grec assez vieux pour être son père... Les magazines spécialisés s'étaient jetés comme des rapaces sur cette histoire.

C'est ce qui avait décidé Rachel à changer de nom. Jamais elle n'en avait parlé à Andrea, mais personne, dans son entourage immédiat, ne connaissait le lien de parenté qui l'unissait à cette aventurière notoire, d'une moralité plus que douteuse.

Aux Etats-Unis, la fille d'Andrea Demakis n'existait pas, tout simplement. Et la condition de jeune femme anonyme, timide et réservée, n'était pas pour déplaire à Rachel.

Elle avait toujours la main sur le bras de Sebastian...

— Pardon, dit-elle en se reculant vivement. Je... Je vais rentrer maintenant.

Il la prit par la taille.

— Pourquoi es-tu si pressée, tout d'un coup ?

— Je...

Le souffle court, elle s'interrompit, interdite, tandis qu'il l'attirait contre lui en lui caressant doucement le dos, dans un geste apaisant. Elle était incapable d'articuler un son. Un frisson la parcourut tout entière, puis une chaleur intense irradia tout son être, depuis le bas de son ventre.

Sebastian esquissa un sourire, comme s'il savait exactement ce qu'elle ressentait.

Sans la quitter des yeux, il la pressa contre lui.

— Oui. Je savais que tu éprouvais forcément la même chose, déclara-t-il avec une expression de triomphe.

— Quoi ? demanda-t-elle en cherchant à gagner du temps.

Il ignora la question.

— J'ai besoin de savoir, murmura-t-il en se penchant vers son visage.

*Savoir quoi ?*

Mais elle n'eut pas le temps de poser la question à voix haute, car la bouche de Sebastian se posa sur la sienne à ce moment-là et toute pensée cohérente la quitta.

Elle se fondit complètement dans les sensations qui la submergeaient.

C'était un monde entièrement nouveau pour elle. Leurs lèvres se confondaient, leurs souffles se mêlaient et les hanches de Sebastian se pressaient contre les siennes. Elle n'aurait jamais cru qu'un homme aussi fort, aussi viril puisse se montrer si tendre et si doux.

Comme mues par une volonté propre, ses mains se posèrent sur son torse, et se mirent à en explorer le relief, les contours. Sa musculature la fascinait.

Réprimant un gémissement, il raffermit son étreinte et son baiser se fit plus profond, plus ardent. Sans la moindre crainte, Rachel s'abandonna entre ses bras. Elle était consumée de désir, livrée aux sensations délicieusement érotiques qu'il éveillait tout au fond d'elle-même, et absolument incapable d'y résister.

Elle découvrait avec un plaisir infini la saveur de sa bouche et son odeur masculine, si désirable.

Sans même s'en rendre compte, elle l'embrassa en retour, imitant ses gestes avec une sensualité féminine instinctive qu'elle avait pourtant crue à jamais brisée.

Avec un grognement sourd, il la souleva de terre, imprimant à ses hanches un mouvement régulier qui propagea en elle des ondes voluptueuses jusqu'au bout de chaque terminaison nerveuse. Un torrent de feu, comme de la lave en fusion, coulait dans ses veines.

Elle s'étonna à peine de se retrouver la jupe retroussée et les jambes croisées autour de sa taille. Plus rien ne comptait que cette pulsion qui la possédait et leurs deux sexes qui se cherchaient pour consommer leur intimité.

Sebastian glissa la main sous la soie de ses sous-vêtements pour caresser cet endroit que personne n'avait touché depuis sept ans. Le bout de son doigt déclencha chez elle un spasme de plaisir, avant de se glisser plus avant, à l'intérieur de sa féminité. C'est alors qu'une peur panique fondit sur la jeune femme, détruisant brutalement toute harmonie entre eux et déclenchant un besoin impérieux, désespéré, de se libérer.

— Non. Arrête ! lança-t-elle en écartant violemment sa bouche de la sienne.

— Pourquoi ? murmura-t-il d'une voix altérée par le désir. Tu n'es pas bien avec moi ?

Elle ne répondit rien. Elle était absolument incapable d'articuler un son. Le contact de ce doigt sur son sexe avait brusquement réveillé des souvenirs horribles, qui la submergeraient si elle n'y prenait garde. Elle devait résister, de toutes ses forces.

Retrouvant tant bien que mal son équilibre sur ses deux pieds, elle lutta pour se dégager de l'étreinte de Sebastian, qui finit par la lâcher au bout de quelques secondes, en marmonnant un juron grec qu'elle préférait ne pas comprendre.

— Je suis désolée, bredouilla-t-elle en tremblant, la gorge sèche.

En même temps, elle tenta de remettre de l'ordre dans sa tenue, lissant les pans de sa jupe longue sur ses jambes chancelantes.

Sebastian serra les poings et elle recula vivement, effrayée par l'expression de frustration qui déformait ses traits. Puis il rejeta la tête en arrière et inspira longuement avant de la regarder de nouveau.

— Non, c'est à moi de te présenter des excuses, déclara-t-il, la mine sombre. Un homme ne doit jamais profiter de la fragilité émotionnelle d'une femme. Les événements de la semaine t'ont perturbée. Je n'aurais pas dû t'embrasser.

Elle avait toujours su que Sebastian n'était pas un homme ordinaire, mais elle lui fut reconnaissante de son indulgence compréhensive. Il n'exigeait pas d'explication pour sa conduite, et elle en concevait une reconnaissance infinie.

— Je ne voulais pas aller si loin, reprit-elle en se souvenant des accusations qu'on lui avait un jour jetées à la figure et qui la hantaient parfois la nuit dans ses rêves.

— Et moi, je n'avais aucune arrière-pensée, admit-il. Quand je t'ai aperçue depuis la fenêtre de ma chambre, je t'ai rejointe pour m'excuser de ma remarque malheureuse, cet après-midi. Je n'aurais pas dû céder à l'attirance physique que nous éprouvons parfois l'un pour l'autre, et qui, de toute manière, ne nous mènerait nulle part.

Ces propos, en un sens, la rassuraient. Pourtant, en même temps, ils creusaient dans son cœur une blessure déjà béante. Sebastian et elle n'avaient rien à faire ensemble…

Ce n'était pourtant rien de nouveau. Depuis longtemps déjà, elle savait que cet homme hors du commun serait pour toujours inaccessible. Ce qui ne l'empêchait pas d'en souffrir… Avec lui, elle avait connu un avant-goût de la passion et elle avait terriblement envie de vivre une expérience sexuelle réussie. Elle avait pris peur, aussi, mais seulement lorsque il l'avait touchée comme cette fois-là, cette nuit funeste…

Si seulement elle pouvait lui parler, lui expliquer… et lui demander d'éviter ce geste particulier, serait-elle capable de faire l'amour jusqu'au bout, sans aucune retenue ?

Mais à quoi bon se poser ces questions ? Il avait clairement exprimé à quel point il regrettait ce baiser. A partir de là, à quoi servait-il d'envisager une intimité sexuelle avec lui ?

Elle força un semblant de sourire sur ses lèvres.

— Tu as raison. Un rapprochement entre nous est inimaginable.

En dépit de son application pour paraître à l'aise et détachée, elle craignait que la façade ne se craquelle d'une seconde à l'autre.

— Je… Je vais rentrer, maintenant, ajouta-t-elle.

Il insista pour la raccompagner jusqu'à sa chambre et lui souhaita une bonne nuit d'un ton guindé et contraint. Il ne s'en alla que lorsque elle eut refermé sa porte.


En s'éloignant dans le couloir, Sebastian se traita de tous les noms. Il s'était comporté comme un véritable idiot. Qu'est-ce qu'il lui avait pris ? Et pour commencer, pourquoi l'avait-il embrassée ?

Il en avait envie depuis des années, c'est vrai… Mais ce n'était pas une femme pour lui. Même le temps d'une aventure. Sans doute était-elle très différente d'Andrea, mais Rachel restait la fille d'une redoutable mante religieuse.

Sans parler des problèmes que cela provoquerait dans sa famille. Les langues iraient bon train s'il avait une liaison avec Rachel. Après le scandale du mariage de Matthias… Sebastian avait toujours voué une adoration à son grand-oncle, mais il lui fallait bien reconnaître que le vieil homme avait été honteusement berné.

Comment un Grec, avec un sens de l'honneur si affirmé, avait-il pu rester marié à une femme qui le trompait sans vergogne ? Qui ne le respectait pas ?

Matthias avait eu des preuves des infidélités de sa trop jeune femme bien avant la nuit de l'accident. Chaque fois, Sebastian espérait que son grand-oncle reviendrait à la raison et jetterait cette femme dehors. Mais cela ne s'était jamais produit.

En tout cas, lui ne se laisserait jamais ridiculiser de cette manière. Il détestait la malhonnêteté et les mensonges, petits ou grands.

Il avait été rassuré, cependant, en constatant que le vieil homme n'avait pas été complètement dupe et qu'il avait su empêcher sa belle épouse peu scrupuleuse de mettre la main sur son héritage. En dépit des blessures infligées à son orgueil, son cerveau avait conservé intacte toute sa lucidité.

Il n'y avait rien de pire pour un homme grec que de perdre la face. Comment Matthias avait-il pu se laisser manipuler au point de mener une existence qui était tout le contraire de celle qu'il avait vécue pendant plus de soixante ans ?

Les derniers temps, il avait perdu toute sa dignité. Il ne connaissait plus que l'humiliation. Andrea jetait ses conquêtes à la face de son vieux mari avec une morgue insupportable. Comment pouvait-elle se permettre autant d'insolence ? Et pourquoi Rachel n'avait-elle pas tenté de mettre bon ordre dans la conduite scandaleuse de sa mère ?

La nuit sombre qui s'étendait au-dehors ne recelait aucune réponse à ces questions innombrables. Mais les réflexions de Sebastian l'amenèrent toutefois à une conclusion évidente. Même si Rachel paraissait très différente d'Andrea, elle était en fait très égoïste, elle aussi. Trop centrée sur elle-même, elle ne s'était pas du tout souciée du sort de Matthias Demakis.

Elle était bien comme sa mère.

*
* *

Dans la chambre de sa mère, Rachel ferma le dernier carton avec le sentiment du devoir accompli. Mais elle éprouvait en même temps une grande déception. Après tout ce temps passé à trier les affaires d'Andrea, elle n'avait rien appris sur les années qui avaient précédé son mariage avec Matthias Demakis. Rien qui puisse lui indiquer qui était son père.

Si elle n'avait pas abandonné tout espoir de le découvrir, c'était en raison de deux souvenirs poignants qui lui restaient de son enfance.

Elle avait trois ans, peut-être quatre, et elle était assise sur les genoux d'un homme qui lui faisait la lecture. Elle ne se souvenait pas de l'histoire qu'il lui racontait, mais très précisément du sentiment d'amour et de sécurité qu'elle avait ressenti à ce moment-là. A la fin, elle l'avait appelé « papa » en l'embrassant sur la joue et il l'avait serrée contre lui.

Quand elle fermait les yeux, elle arrivait parfois à revivre cet instant et à retrouver ce même sentiment de sécurité…

Une autre fois, elle s'était réveillée en pleine nuit et avait cherché son père en pleurant, dans le noir. Elle devait avoir cinq ou six ans. Sa mère avait continué à dormir, probablement assommée par l'alcool ou quelque chose de plus fort, mais Rachel avait veillé toute la nuit. C'était seulement au petit matin, aux premiers rayons du soleil, qu'elle avait compris que son père ne reviendrait pas.

Elle ne savait pas s'il les avait abandonnées, ainsi que le prétendait sa mère, ou s'il lui avait été impossible de les retrouver. Andrea vivait un peu partout en Europe, au gré d'aventures amoureuses qui faisaient parfois les couvertures des magazines à sensation.

Son mariage avec un armateur grec avait même défrayé la chronique jusqu'aux Etats-Unis, mais un homme qui n'avait pas vu Andrea depuis plus de vingt ans ne la reconnaîtrait pas forcément et ne lirait peut-être même pas ce genre de journaux.

Rachel avait envie de croire que son père était américain, ignorant tout de la triste notoriété d'Andrea et des longues années qu'elle avait passées en Europe. Mais, malheureusement, il se pouvait aussi qu'il soit mort, tout simplement.

Chassant de son esprit ces pensées qui ne la menaient nulle part, Rachel ferma le dernier rabat avec du ruban adhésif et se redressa. Quelle qu'en soit la raison, son père avait disparu de son existence. C'était ainsi et elle ne pouvait rien y changer.

D'un air détaché, elle jeta un regard circulaire sur la pièce au décor décadent. Sebastian avait l'intention de tout refaire, sans doute pour effacer les traces du passage d'Andrea dans la villa. Naturellement, il ne l'avait pas formulé ainsi. Depuis sa malencontreuse réflexion dans le bureau, trois jours plus tôt, il se montrait plein de tact et de prévenance. Mais personne n'ignorait ce qu'il pensait d'Andrea.

Etirant ses muscles fatigués, Rachel exécuta quelques mouvements de gymnastique pour se détendre. Ses yeux la brûlaient et elle avait mal au dos. Elle avait passé de longues heures à genoux, à trier et empaqueter des affaires, et elle manquait de sommeil car elle dormait très mal la nuit, harcelée par le souvenir de sa brève étreinte avec Sebastian.

Elle se pencha en avant pour toucher du bout des doigts la pointe de ses pieds. Puis elle se redressa et se courba vers l'arrière, le plus loin possible. Apercevant à ce moment-là une paire de jambes masculines, elle perdit brusquement l'équilibre et se retrouva étalée sur le dos, après s'être cogné la tête dans sa chute.

Sebastian se précipita, affolé.

— Tu ne t'es pas fait mal, *pedhaki mou* ?

Elle ouvrit la bouche pour parler, mais elle avait le souffle coupé et aucun son n'en sortit. Deux mains solides la saisirent par les épaules pour l'aider à se mettre en position assise.

— Merci, gémit-elle.

Il tâta son crâne du bout des doigts.

— Ça fait mal ?

— Juste un peu.

— Apparemment il n'y a pas de bosse.

Tout en continuant son examen, il demanda :

— Que faisais-tu dans cette position invraisemblable ?

Gênée par son contact, le rouge aux joues, elle expliqua :

— Je m'étirais.

— Tu es tombée.

— Tu m'as fait peur.

— Ah, c'est ma faute, maintenant, remarqua-t-il avec une pointe d'humour.

— Oui.

— Alors je dois trouver un moyen de me faire pardonner.

Et aussitôt, sans lui laisser le temps de réagir, il appliqua un baiser sur ses lèvres. Même si ce geste était dépourvu de passion et d'émotion, le cœur de Rachel se mit à battre la chamade et elle faillit bien se jeter à son cou. Heureusement, il la tenait toujours fermement par les épaules, ce qui l'empêcha de se ridiculiser.

— Tu as des lèvres très douces, Rachel.

— Merci.

— Tu es très polie.

Il se pencha pour l'embrasser de nouveau, en s'attardant un peu plus longuement, comme pour mieux goûter la saveur de sa bouche.

— Suis-je pardonné ? murmura-t-il dans un souffle.

— Euh… Oui, bredouilla-t-elle.

— Quel dommage.

— Euh… Oui…

— Alors recommençons.

Juste au moment où ils allaient se perdre dans un autre baiser, la voix de Philippa les interrompit.

— J'ai entendu un grand bruit. Que s'est-il passé ?

Avec un soupir de frustration, Sebastian redressa la tête pour regarder par-dessus son épaule.

— Je lui ai fait peur et elle est tombée.

— Je ne me suis pas fait mal, ajouta Rachel, rouge d'embarras.

— Vous êtes sûre ? Vous êtes encore par terre.

Sebastian éclata de rire.

— Parce que je ne l'ai pas encore relevée.

— Oh !

Il y avait un si lourd sous-entendu dans le petit « oh » de sa mère, que Sebastian en perdit toute sa bonne humeur et se dépêcha de reprendre contenance. Avec un petit pincement au cœur, Rachel se sentit rejetée.

Philippa annonça :

— Aristide est là. Je m'en irai avec lui après le déjeuner.

— Vous partez ? demanda Rachel.

— Oui. Je rentre chez moi. Mon jardin m'attend.

— Merci pour votre aide.

— Je vous en prie. C'est moi qui devrais vous remercier. Vous êtes une jeune femme tout à fait charmante. Grâce à vous, j'ai réussi à oublier un peu mon chagrin en me concentrant sur des tâches matérielles.

Rachel ne savait pas vraiment quoi répondre.

— Je vous aime beaucoup, réussit-elle enfin à articuler.

— C'est réciproque, répliqua Philippa avec un sourire.

De plus en plus embarrassée, Rachel s'éclipsa pour faire un brin de toilette avant le repas.

*
* *

— Elle ne sait pas recevoir un compliment, observa Sebastian pour tenter d'expliquer les joues écarlates de la jeune femme.

— Elle n'a pas dû en avoir beaucoup, avec la mère qu'elle avait, répliqua Philippa en accompagnant son fils au rez-de-chaussée.

— Effectivement.

— Andrea a fait beaucoup de tort à notre famille.

— Oui, marmonna Sebastian distraitement, davantage préoccupé par les sensations physiques que son baiser avait déclenchées.

Sa mère lui lança un de ces regards énigmatiques dont elle avait le secret.

— Cela n'a sûrement pas été facile d'être la fille d'une femme pareille.

— Elle est restée très à l'écart.

— Peut-être pour se protéger.

— Ou parce qu'elle attachait plus d'importance à son confort personnel qu'à la sérénité d'un vieil homme.

Sa mère afficha une expression sincèrement choquée. Sebastian s'en aperçut trop tard pour gommer sa dernière remarque... Comme il se détournait pour accueillir son frère, Philippa revint à la charge en se plantant devant lui.

— Es-tu vraiment obligé de la rabaisser au niveau de sa mère pour ne pas céder à l'attirance que tu éprouves ?

— Je ne suis pas...

Sa mère leva la main.

— Tu peux te mentir à toi-même, mon fils, mais tu ne réussiras pas à me tromper. Rachel n'a rien de commun avec Andrea. Mais tu refuses de t'en convaincre parce que tu as peur des sentiments.

Elle allait trop loin...

— Jamais je ne pourrai aimer la fille d'Andrea.

— Oh, oh !

Aristide eut une expression désolée à cette déclaration émise d'une voix déterminée, et sa mère une grimace de consternation.

En se retournant brusquement pour suivre leurs regards, Sebastian aperçut Rachel, debout sur le seuil, qui le regardait avec de grands yeux douloureux.

# 3.

En l'espace de quelques minutes, la jeune femme s'était métamorphosée. Elle avait relevé ses cheveux en chignon et revêtu une robe de soie verte qui mettait en valeur la couleur de ses yeux, tout en soulignant les courbes de sa silhouette parfaite. Elle était très belle et désirable.

Malheureusement, Sebastian venait de gâcher définitivement ses chances de la conquérir un jour.

— Je ne voulais pas…

Il s'interrompit. Le mal était fait. Il n'y avait aucun moyen d'effacer les mots qu'il venait de prononcer.

Rachel se détourna de lui avec dédain pour s'adresser à Philippa :

— Vous serait-il possible de retarder votre départ d'une heure ? Le temps que je boucle ma valise. Je pourrais partir avec vous.

La mère de Sebastian secoua la tête avec un regret manifeste.

— Je suis désolée, Rachel, mais Aristide a un rendez-vous très important.

Aristide parut d'abord surpris, mais confirma ensuite par un signe de tête.

— C'est exact. Je regrette, Rachel.

— Dans ce cas, je pourrais finir mes bagages pendant que vous déjeunez, proposa Rachel.

Sebastian avait l'air furieux.

— Je ne vois pas la nécessité d'une telle hâte. Je te ferai reconduire demain matin en bateau.

— Je préférerais m'en aller aujourd'hui, murmura-t-elle, sans même le regarder.

— Tu n'as rien à craindre de moi.

Elle le foudroya méchamment du regard.

— C'est parfaitement clair. J'avais compris.

— Venez manger, Rachel, intervint Philippa. Il vaut mieux ne pas faire vos bagages dans la précipitation. Vous risqueriez d'oublier quelque chose.

Rachel accepta à contrecœur.

— Vous avez raison. Ce serait d'autant plus ennuyeux que je ne compte pas remettre les pieds sur cette île.

— Vous y serez toujours la bienvenue, reprit Philippa, en insistant gentiment. Après tout, cette villa a été votre maison pendant plusieurs années.

— C'est celle de Sebastian, à présent, et j'aurais trop peur de le déranger.

Pour alléger l'atmosphère, Aristide s'approcha avec un sourire et lui offrit son bras pour la conduire jusqu'à sa place.

Pendant tout le repas, Rachel ignora délibérément Sebastian, adressant seulement la parole à sa mère et à son jeune frère. Aristide se montra charmant, flirtant gentiment avec elle. Il avait beaucoup de tact et de légèreté. Il divertit tout le monde en racontant, avec de nombreuses anecdotes, un récent voyage en Crète.

Visiblement, Sebastian bouillait de rage. Mais elle ne comprenait vraiment pas pourquoi il aurait été jaloux de son frère, puisque de toute manière elle était indigne de lui... Dire qu'elle avait été assez stupide pour se faire belle en son honneur ! Elle avait choisi une jolie robe et s'était maquillée en pensant à lui. Mais il n'en valait pas la peine. Comment pouvait-il embrasser une femme avec autant de passion pour déclarer l'instant d'après qu'il n'éprouverait jamais rien pour elle ! C'était grotesque.

Et elle, elle s'était comportée comme une idiote.

En tout cas, elle serait bientôt débarrassée de lui et réussirait bien à l'éviter jusqu'au moment de son départ, le lendemain matin.

Quelques heures plus tard, Rachel avait terminé ses bagages et jetait un dernier coup d'œil sur la chambre qui avait été la sienne depuis ses dix-sept ans, même si elle n'y avait que très peu séjourné. Puis elle descendit sur la plage pour profiter des derniers rayons du soleil.

Elle était en colère contre elle-même parce qu'elle n'avait pas pu s'empêcher d'emporter une vieille boîte à trésors, au fond de laquelle elle avait accumulé un tas de souvenirs dérisoires. Il y avait des photos, certaines de Sebastian ; des coupures de journaux ; des menus de repas de famille datant d'avant son départ pour l'université. Une rose jaune qui venait du bouquet que Sebastian lui avait offert pour ses dix-huit ans et qu'elle avait fait sécher entre les pages d'un livre. Le médaillon avec ses initiales gravées qu'elle avait reçu en cadeau pour ses vingt et un ans.

Il y avait aussi un bouton de manchette en onyx noir qu'elle avait récupéré dans une corbeille à papier où Sebastian l'avait jeté après avoir perdu l'autre. C'était vraiment puéril de faire une chose pareille… Quoique compréhensible de la part d'une adolescente. Mais à vingt-trois ans, pourquoi restait-elle attachée à cet objet ?

Elle n'en savait rien. Tout ce qu'elle savait, c'est qu'elle était incapable de le mettre à la poubelle. Sebastian avait porté ces boutons de manchette pour la fête donnée en l'honneur de ses dix-huit ans. C'était la seule et unique fois où il avait dansé avec elle.

Elle se refusait à analyser plus profondément la signification de cet événement, tout comme elle évitait de réfléchir au sens de la phrase qu'il avait prononcée devant sa mère et son frère. Parfois, il valait mieux laisser dans son esprit des zones d'ombre et ne pas trop s'appesantir sur ce qui risquait de faire mal.

Avec un bâillement, elle s'allongea sur le dos en s'efforçant de détendre ses muscles endoloris. Il régnait un grand calme sur cette petite île, qui contrastait d'une manière frappante avec les plages bruyantes de Californie. On entendait à peine le bruit des vagues et il n'y avait absolument personne sur le rivage. Les quelques villageois qui habitaient vers le nord ne s'aventuraient jamais sur cette partie de la plage, propriété privée des Demakis.

Rachel s'était baignée là sans crainte d'être épiée par des regards masculins... Quand sa mère ne recevait pas en tout cas.

Bientôt, elle quitterait cet endroit pour toujours, et jamais elle ne reviendrait en Grèce. Elle ne s'allongerait plus sur ce sable fin, ne reverrait plus Sebastian... A cette pensée, son cœur se contracta douloureusement.

— Eugénie m'a dit que tu voulais prendre ton dîner dans ta chambre ?

Elle sursauta et ouvrit les yeux. Sebastian était là, penché vers elle.

— Que fais-tu ici ? lui demanda-t-elle sur un ton de reproche.

Sans répondre, il fronça les sourcils.

— Ce serait vraiment un sacrifice épouvantable, de partager ton dernier repas en Grèce avec moi ?

— Tu n'as sûrement pas envie de subir ma compagnie.

— Ne dis pas de bêtises. Tu es mon invitée.

Invitée ? Il n'y avait pas de quoi se faire des illusions… C'était uniquement le code de l'hospitalité grecque qui lui commandait de l'avoir à sa table. Il n'agissait que par respect des convenances, sans égard particulier pour sa personne.

— Ne t'inquiète pas pour moi, je préfère être seule.

Il la considéra un instant, une expression indéchiffrable au fond de ses yeux gris. Puis il lui sourit, de son sourire charmeur de play-boy milliardaire.

— Tu as besoin de distraction.

Qu'il garde donc son sourire ! Elle ne lui pardonnerait pas de sitôt l'affront qu'il lui avait infligé quelques heures auparavant… Elle se releva prestement en époussetant le sable accumulé dans les plis de sa jupe paréo.

— Je suis fatiguée et j'ai besoin de dormir, annonça-t-elle sur un ton qui ne souffrait aucune réplique.

— A quelle heure est ton avion ? s'enquit-il.

Pourquoi insistait-il de la sorte ?

— Je ne sais pas, admit-elle. Je ne me suis pas encore occupée de la réservation. J'irai directement à l'aéroport en arrivant à Athènes.

— Dans ce cas, pourquoi es-tu si pressée de partir ?

Ils n'allaient tout de même pas se faire des politesses, à présent !

— Sebastian, ma présence t'insupporte, déclara-t-elle brutalement. C'est une raison suffisante.

— Je n'ai jamais dit une chose pareille !

C'était vrai, il avait seulement dit qu'il ne pourrait jamais l'aimer.

— Je suis la fille d'Andrea et tu détestais ma mère.

— Je détestais surtout l'influence qu'elle exerçait sur mon grand-oncle. A cause d'elle, il avait perdu toute dignité.

— Tu seras donc bien content de tourner la page. Bientôt, tu auras oublié jusqu'à l'existence d'Andrea et de Rachel.

— Je ne pourrai jamais oublier que Matthias est mort à cause d'Andrea.

— Raison de plus pour que je disparaisse le plus vite possible.

Elle commença à s'éloigner en direction de la villa.

— Attends.

Elle fit comme si elle n'avait rien entendu. De toute manière, il n'y avait rien ajouter.

Il la rattrapa et la saisit par le poignet pour l'obliger à s'arrêter.

— Bon sang, je t'ai demandé d'attendre !

— Et moi je n'en ai pas envie. Lâche-moi !

Elle tenta de se dégager, sans y parvenir.

— Je suis désolé.

— Tu n'as pas à t'excuser d'avoir dit la vérité. Maintenant laisse-moi, j'ai besoin d'être seule.

— Ma mère me poussait dans mes retranchements et j'ai horreur de ça.

Il paraissait sincère et maîtrisait mal son émotion.

— Je ne suis pas fier de mes paroles…

— De quoi parles-tu ?

Il poussa une exclamation d'impatience.

— Tu le sais très bien. De la phrase que tu as surprise à midi quand je discutais avec ma mère.

— Je m'en remettrai. Je préfère la franchise à l'hypocrisie.

Il effleura sa joue d'une caresse légère, presque tendre.

— Cela te fait souffrir, de savoir que je ne pourrai jamais être amoureux de toi ?

— Oui, avoua-t-elle sans réfléchir. Pourquoi me poses-tu la question ?

— Pour savoir, simplement.

— Et tu es content, maintenant ? Ça flatte ton ego démesuré ?

Ou bien alors c'est une façon de te venger parce tu estimes que j'ai failli à mes devoirs envers Matthias ?

— Rien de tout ça.

— Je ne te comprends pas, Sebastian, reprit-elle, la gorge nouée. Tu m'as embrassée, caressée… Nous avons failli faire l'amour ensemble et pourtant, devant ta mère, tu prétends que tu es incapable de rien éprouver pour moi.

Il effleura du bout des doigts la base de son cou, à l'endroit où son pouls battait.

— Le sexe n'a rien à voir avec l'amour.

— Sans doute, chuchota-t-elle douloureusement, choquée par cette formulation aussi directe que lapidaire.

Malheureusement, dans la plupart des cas, il avait raison. Rachel n'avait pas d'expérience personnelle, mais le spectacle de la comédie humaine lui avait fourni quelques éléments de réflexion…

— J'ai envie de toi, reprit-il.

— Je ne suis pas ma mère !

Non seulement il la blessait en ravalant à un niveau purement physique ce qu'elle éprouvait, mais en plus il croyait disposer de son corps selon son bon vouloir !

Elle s'écarta résolument.

— Laisse-moi partir.

— Je veux que tu passes la nuit avec moi.

Elle ouvrit la bouche, mais aucun son n'en sortit. Décidément, chacune des paroles de Sebastian s'enfonçait dans sa chair comme un poignard pour la lacérer.

— Non ! articula-t-elle enfin dans un cri.

— Je ne le pensais pas, affirma-t-il, le front soucieux.

— Ah bon ? Finalement, tu n'as pas envie de coucher avec moi ? lança-t-elle, sarcastique.

— Oh ! si. Je parlais de ce que j'ai dit à ma mère.

— Une brève aventure vaut-elle la peine de compromettre ton intégrité ?

A moins que ça n'ait aucune importance de mentir à la fille d'Andrea Demakis…

— Rachel, je t'en prie.

Il la suppliait ! Piquée au vif, elle demanda :

— Eh bien, explique-toi.

— Je serais stupide de nier mes émotions sous prétexte que tu es la fille d'une femme qui a semé le désordre dans ma famille.

— Les Grecs ont un sens de l'honneur exacerbé, j'imagine.

— S'il te plaît, arrête !

Le ton suppliant de Sebastian finit par avoir raison de ses résistances.

— Prétendrais-tu éprouver finalement quelque chose pour moi ? lança-t-elle d'une voix étranglée.

La mâchoire de Sebastian se crispa.

— Accepte de dîner avec moi, répondit-il en éludant sa question. Tiens-moi compagnie ce soir. Et puis, tu n'es pas obligée de repartir demain.

— Je…

— Chut ! l'interrompit-il en posant un doigt sur ses lèvres.

Avec des yeux de braise, il ajouta :

— Oublions le passé. Le présent nous appartient. Profitons-en pour explorer ce qu'il y a entre nous.

— Pourquoi pas…

Elle était tout aussi incapable de lui résister qu'il lui avait été impossible de jeter les babioles qu'elle gardait en souvenir de lui.

Le sourire qu'il lui adressa à ce moment-là la transporta d'une joie ineffable. Scellant leur accord d'un baiser sur ses lèvres, il lui prit le bras pour la raccompagner jusqu'à la porte sa chambre et la laissa à ses préparatifs pour leur rendez-vous.

Elle avait choisi une petite robe de crêpe noire, cadeau d'Andrea avant son départ pour les Etats-Unis. Bien que discret, le décolleté mettait joliment en valeur sa poitrine et la jupe était courte, bien au-dessus du genou. Avec un autre homme, elle aurait hésité à la porter, mais Sebastian la connaissait trop bien pour l'accuser de coquetterie.

Il resterait toujours à ses yeux quelqu'un de tout à fait spécial, différent de tous les autres. C'est ce qui la poussait à rester. Pour explorer les liens qui l'unissaient à lui. De toute manière, si ce n'était pas Sebastian, ce ne serait jamais personne d'autre. Pas seulement à cause de ce qui lui était arrivé à seize ans, mais parce que les sentiments qu'elle éprouvait pour lui s'étaient approfondis au fil des années au lieu de se tarir dans son exil.

Dût-elle ne jamais le revoir, elle savait néanmoins que jamais elle ne l'oublierait. Et qu'aucun homme ne pourrait rivaliser avec lui.

Pour quelqu'un d'aussi fier et orgueilleux que Sebastian, c'était un véritable exploit d'avouer qu'elle ne lui était pas indifférente. Une telle confession lui avait certainement coûté beaucoup.

Après avoir apporté un soin tout particulier à son maquillage, Rachel brossa vigoureusement ses cheveux qu'elle roula en un chignon strict, très sophistiqué.

En arrivant à la porte du salon, inévitablement, elle se rappela la scène du déjeuner. Ne retombait-elle pas dans le même piège que le matin, en s'apprêtant avec autant de soin, juste pour lui plaire ? Elle était sur le point de repartir se changer quand il l'aperçut. Ses craintes s'évanouirent instantanément sous son regard admiratif. Il fit un léger signe de tête et elle s'approcha.

Quand elle fut devant lui, il posa les mains sur ses épaules nues et se pencha pour l'embrasser sur la joue.

— Tu es ravissante.

— Merci.

Lui-même avait revêtu un smoking avec une chemise blanche et un nœud papillon. Un mélange de satisfaction et de soulagement éclaira le visage de Rachel.

Pendant le dîner, servi par Eugénie, ils discutèrent agréablement de sujets variés.

— Pourquoi as-tu accepté un poste de comptable ? demanda Sebastian à la jeune femme.

— Ça me plaît.

— Mais tu peignais, autrefois ?

— Je continue, à mes heures perdues.

— Tu n'aimerais pas t'y consacrer davantage ?

— Je ne pourrais pas en vivre.

Elle s'était très vite rendu compte qu'elle avait besoin d'un revenu régulier, surtout si elle ne voulait pas dépendre financièrement de sa mère.

— Matthias aurait pu t'aider.

Elle frissonna à cette idée.

— Je n'aurais pas aimé me sentir redevable. Je suis trop indépendante.

— C'est tout à ton honneur, observa-t-il avec une expression bizarre, indéfinissable.

— Merci. De toute manière, mon travail me satisfait pleinement. L'univers des chiffres est rassurant, tranquille.

— Comme toi ?

— Oui, je suis d'un tempérament très calme. Il y avait assez d'une hystérique dans la famille.

Il la considéra un instant, d'un air songeur.

— Tu t'es pourtant montrée passionnée, l'autre jour, sur la plage, dit-il enfin.

— Ce n'est pas la même chose.

— Peut-être, répliqua-t-il avec un haussement d'épaules comme si le sujet était sans importance.

Mais un peu plus tard, la conversation se porta de nouveau sur l'activité professionnelle de Rachel.

— Tu ne dois pas rencontrer beaucoup d'hommes, en travaillant dans un centre d'esthétique et de remise en forme.

— Non, en effet.

— Tant mieux.

— Pourquoi ?

— Je suis très jaloux.

— Je ne t'appartiens pas.

Eloignant ce sujet délicat, elle poursuivit :

— Combien de temps vas-tu rester sur l'île ?

— Quelques jours seulement. Je dois rentrer à Athènes.

— Pour tes affaires ?

— Je suis en relation permanente avec mon homme de confiance et je continue à travailler ici tous les jours. Mais la situation ne peut pas durer indéfiniment.

— Pourquoi n'es-tu pas reparti tout de suite ? Tu avais peur que la fille d'Andrea ne vole ton argenterie en ton absence ?

Il secoua la tête avec un rire forcé.

— Tu es là…

— Et tu te sens obligé d'être là aussi.

Il fronça les sourcils.

— Oui, c'est plus fort que moi, admit-il avec une franchise qui la toucha.

Après le repas, il la conduisit au-dehors, sur la terrasse. Une vieille chanson de blues s'élevait dans la tiédeur de l'air et il la prit dans ses bras.

— Danse avec moi.

Elle n'avait plus dansé depuis la fête de ses dix-huit ans, ni avec lui ni avec aucun autre homme. Mais ce n'était pas très compliqué de suivre le rythme sensuel de la musique avec les mains de Sebastian nouées autour de sa taille.

Elle se détendit, s'autorisant même à poser la joue contre son épaule. Ce n'était peut-être pas très prudent de s'abandonner ainsi, mais c'était si agréable… Il aurait fallu être de marbre pour se l'interdire. Elle avait l'impression de flotter dans un rêve, avec une sensation de sécurité absolue.

Mais elle ne se leurrait pas. Sebastian Kouros possédait toutes les qualités qui plaisaient aux femmes. En plus, il était richissime. Le meilleur parti qui soit. Il ne s'embarrasserait pas longtemps de la fille d'Andrea Demakis.

Les morceaux se succédèrent et ils continuèrent à danser, dans un accord parfait. Leurs deux corps enlacés se déplaçaient langoureusement, éveillant en eux des sensations voluptueuses. Peu à peu, les mains de Sebastian descendirent le long des hanches de Rachel, puis plus bas encore.

Ils devinrent bientôt presque immobiles, se contentant de se balancer doucement en se pressant l'un contre l'autre. Rachel était tout étourdie, dans une sorte de stupeur cotonneuse, quand tout à coup Sebastian s'écarta d'elle, à regret.

— Si je ne t'envoie pas tout de suite au lit, je risque fort de t'emmener dans le mien.

Elle chancela légèrement. C'était exactement ce dont elle avait envie !

— Quand tu me rejoindras dans mon lit, ce sera de ta propre volonté.

Il avait dit « quand », et non pas « si ». Mais elle se garda bien de lui reprocher son arrogance. Elle était prête à le suivre. Tout de suite. Même si elle avait conscience de courir à sa perte. Malgré tout, la peur de reculer au moment ultime l'empêcha d'aller plus loin.

*
* *

Sebastian prit une douche glacée tout en se maudissant de sa propre stupidité. Il était doublement idiot. D'abord pour s'être mis dans un état pareil, ensuite pour avoir repoussé l'empressement de Rachel.

Pourquoi avait-il insisté pour passer la soirée avec elle ? Il avait obéi à une impulsion irrésistible, qu'il ne pouvait plus faire semblant d'ignorer. Le désir qu'il éprouvait pour elle ne datait pas d'hier… Mais il ne s'agissait pas uniquement de sexe et cela lui posait un problème.

Car, dans sa vie, il n'y avait aucune place pour les sentiments qui unissent d'ordinaire un homme et une femme.

# 4.

Pendant les trois jours suivants, Rachel se crut au paradis.

Sebastian et elle passaient leurs matinées à se baigner et à se promener à l'intérieur de l'île. L'après-midi et le début de la soirée étaient réservés au travail. Puis ils dînaient ensemble et bavardaient ou regardaient un film avant de regagner leurs chambres respectives.

Ils évitaient soigneusement de parler d'Andrea ou de Matthias, ou même du passé, d'une manière générale. Rachel n'eut donc pas l'occasion de lui raconter ce qui s'était passé lorsqu'elle avait seize ans.

Elle se demandait souvent s'il n'aurait pas fallu aborder le sujet d'emblée. Mais plus le temps passait, puis elle devenait convaincue qu'elle n'aurait aucun problème dans une relation physique avec lui. Il était tellement plus confortable d'oublier les heures sombres pour ne penser qu'au présent !

Philippa téléphonait tous les jours. La première fois, en apprenant que Rachel était restée, elle insista pour bavarder avec elle. Cela devint ensuite une habitude. Elle la traitait avec beaucoup d'affection, ce qui touchait énormément la jeune femme.

Un jour, le quotidien reprendrait ses droits, forcément. Mais Rachel voulait croire, pour quelque temps encore, que ces jours de vacances merveilleuses étaient infinis.

Le matin du quatrième jour, Sebastian apparut très tendu à la table du petit déjeuner.

— Que se passe-t-il ? demanda Rachel après qu'il l'eut embrassée sur la bouche, à son habitude.

Ils étaient devenus très familiers même si une barrière invisible, comme infranchissable, continuait à les séparer.

— Une affaire urgente me réclame à Athènes, expliqua-t-il.

Le cœur de Rachel se serra.

— Dans ce cas, je vais me renseigner sur les horaires de mon vol de retour.

— Tu veux vraiment repartir ? demanda-t-il, le visage fermé.

— Il faut bien que je rentre en Californie. On ne va pas me garder ma place indéfiniment.

— Tu n'es là que depuis une semaine. Tu as encore le temps. Pourquoi ne viendrais-tu pas à Athènes avec moi ?

Ses mots résonnèrent dans le silence. Incapable de répondre, Rachel lui jeta un regard éperdu. Avec cette invitation, il ne s'agissait plus seulement de vacances, mais de la vraie vie.

Sebastian conserva une expression impénétrable. La voix de la raison commandait à Rachel de repartir très vite, le plus loin possible, avant de trop souffrir. Mais son cœur ne lui appartenait déjà plus...

En réaction contre sa mère, elle s'était comportée toute sa vie de façon beaucoup trop raisonnable. Et elle se sentait seule. D'un autre côté, Sebastian lui plaisait depuis toujours. Pourquoi ne pas saisir cette chance et risquer le tout pour le tout ? Elle aurait été stupide de claquer une porte que tout son être aspirait à franchir.

— C'est une bonne idée, déclara-t-elle enfin, très platement.

— Parfait ! répondit-il avec un sourire éblouissant.

**\* \***

Ils se rendirent à Athènes en hélicoptère. Le bruit assourdissant des pales et du moteur les empêcha de parler et, de toute façon, Sebastian s'absorba dans ses dossiers.

A leur arrivée, un chauffeur avec limousine les attendait. Après avoir déposé son employeur devant l'immeuble de sa compagnie, il conduisit Rachel vers les beaux quartiers, puis jusqu'à la maison de Sebastian.

Elle y fut accueillie par une vieille gouvernante qui lui offrit des rafraîchissements. Puis elle explora la magnifique demeure. Son appartement californien aurait tenu tout entier dans le salon ! Un immense écran de télévision occupait tout un pan de mur tandis qu'une grande bibliothèque et des fauteuils confortables meublaient l'autre bout de la pièce.

Le mobilier ancien sentait bon la cire. La décoration intérieure s'harmonisait dans des tons neutres, beige et coquille d'œuf, avec çà et là quelques taches de couleurs vives qui correspondaient bien à la personnalité vibrante de Sebastian.

A qui avait-il confié l'aménagement de sa maison ? A une femme ? se demanda Rachel avec une pointe de jalousie au cœur. Maintenant qu'elle se trouvait sur son territoire, de vieilles rancœurs se réveillaient. Au moins, en vivant aux Etats-Unis, même si elle n'ignorait rien de son comportement de séducteur invétéré, elle pensait moins à toutes les conquêtes faciles qui se succédaient dans sa vie.

N'avait-elle pas commis une erreur en acceptant son invitation ? Déjà désavantagée par l'aversion qu'il nourrissait à l'égard de sa mère, elle n'avait pas beaucoup de chances de se tirer indemne d'une relation avec lui.

Continuant sa visite, elle se retrouva dans ce qui semblait être une chambre d'amis. A côté, elle découvrit un bureau équipé d'un ordinateur et d'un téléphone, et où elle s'installa pour consulter son courrier électronique. Elle se sentait toujours la proie d'émotions chaotiques. D'un côté, elle n'avait aucun espoir d'envisager un avenir avec Sebastian. Mais d'un autre, ses sentiments lui commandaient de rester au lieu de s'enfuir par le premier avion.

Elle l'aimait.

Impossible de le nier. Aucune autre raison n'aurait su expliquer la décision invraisemblable qu'elle avait prise en le suivant chez lui à Athènes. Quelle ironie ! Elle qui ne rêvait que de stabilité et de bonheur tranquille était tombée amoureuse d'un homme programmé uniquement pour vivre des histoires courtes…

Elle se connecta au serveur qui hébergeait sa boîte aux lettres. Elle avait plusieurs messages, dont un d'une amie de sa mère, daté du jour de l'accident. Cette personne qu'elle ne connaissait pas déversait son fiel sur le compte de Matthias Demakis qui, apparemment, menaçait de divorcer. Il devait être à bout de patience et excédé par les frasques d'Andrea… L'amie de sa mère s'insurgeait parce qu'il proposait une pension ridiculement basse et elle suppliait Rachel de se rendre en Grèce pour soutenir Andrea dans cette période difficile… La jeune femme eut un haut-le-cœur en continuant la lecture du message. Ses intérêts personnels étaient également en jeu, soulignait cette femme, certaine, apparemment, que Rachel obéissait aux mêmes pulsions vénales que sa mère. Quand donc cesserait-on de ne voir en elle qu'une copie conforme d'Andrea ? Quand donc ferait-on enfin un pas vers elle, pour la connaître véritablement, pour découvrir qui elle était ?

Après avoir éteint l'ordinateur, Rachel reprit son exploration et ne tarda pas à découvrir la chambre de Sebastian, très masculine, dans des tons vanille et chocolat. Elle resta là plusieurs minutes, immobile, à s'imprégner de l'atmosphère, comme si elle se trouvait dans un sanctuaire.

On avait porté ses bagages dans une pièce au décor très

féminin, aux couleurs bleu et pêche, avec des meubles de bois clair sur lesquels étaient peints des motifs floraux. Y logeait-il ses maîtresses ? se demanda-t-elle fugitivement. Mais non. Elles partageaient évidemment son lit. Sans doute cette chambre accueillait-elle Philippa Kouros, lorsqu'elle lui rendait visite. Cela paraissait plus vraisemblable.

En l'installant là, Sebastian respectait sa liberté de choix. Mais si elle acceptait de rester quelque temps chez lui, elle savait qu'elle ne dormirait pas éternellement dans la chambre d'amis…

Sebastian se frotta les yeux en s'appuyant sur le dossier de sa chaise. La journée avait été longue. Les réunions s'étaient succédé presque sans interruption. Il avait fallu traiter avec beaucoup de ménagement les hommes d'affaires chinois qui avaient débarqué à l'improviste et dont il avait mis un certain temps à discerner les objectifs. Ils avaient discuté âprement, en reprenant point par point les comptes rendus des précédentes négociations.

Malgré son envie de rentrer pour retrouver Rachel, il s'obligea à prendre connaissance du courrier. Certaines lettres dataient déjà d'une semaine.

Il s'était attardé plus longtemps que prévu sur la petite île. Son homme de confiance lui faisait part quotidiennement des affaires courantes, mais sa correspondance personnelle s'était accumulée.

Il avait téléphoné deux fois à Rachel au cours de l'après-midi, comme un adolescent transi. Elle s'imaginait probablement déjà en robe de mariée, pendue à son bras avec les échos de la *Marche nuptiale* dans les oreilles…

Il était le seul à blâmer. Il ne fallait pas encourager son penchant romantique et lui laisser croire que leur relation avait quelque chose de spécial. Il n'était pas prêt pour le mariage et n'avait pas l'intention de s'engager.

Une seule fois, il avait failli céder à une femme, une aventurière qui ressemblait beaucoup à Andrea Demakis. Heureusement, il s'était ressaisi à temps. Il n'était pas question de retomber dans les mêmes erreurs. L'exemple de son grand-oncle l'avait renforcé dans ses convictions.

Il ne voulait pas se marier.

Il n'avait pas l'intention de tomber amoureux.

Une enveloppe portant l'écriture de Matthias attira son attention. Non, c'était impossible… Il était décidément très fatigué.

Pourtant il ne se trompait pas. Son grand-oncle lui avait écrit juste avant de mourir.

Non sans une certaine appréhension, il décacheta l'épaisse enveloppe qui portait la mention « personnel » et en sortit une lettre de plusieurs pages. Une demi-heure plus tard, il releva la tête, complètement abasourdi.

Les yeux de Matthias s'étaient enfin dessillés, mais trop tard.

Non seulement le vieil homme était conscient de la sottise qu'il avait faite en épousant Andrea, mais il avait peur de mourir. Il se doutait qu'il n'en avait plus pour très longtemps à vivre et avait pris la décision de déshériter totalement sa femme.

Cet aveu avait dû lui coûter beaucoup, lui si orgueilleux et si sûr de lui… Il informait également son neveu de son intention de divorcer. Andrea devait être folle de rage ! Matthias avait pris la précaution d'écrire à Sebastian pour l'empêcher de jouer les veuves éplorées et de réclamer l'héritage dans le cas où il mourrait avant que le divorce ne soit prononcé.

Sebastian en avait la nausée.

Andrea avait-elle prévenu sa fille ? Rachel se serait-elle rangée aux côtés de sa mère pour l'aider à extorquer une grosse pension alimentaire ?

Grinçant des dents, il rejeta loin de lui cette éventualité. Rachel n'était pas comme sa mère. Ne le lui avait-elle pas déjà montré de multiples façons ?

Mais son esprit rationnel lui rappela que Matthias avait été abusé par des impressions fausses. Pour le prendre dans ses filets, Andrea avait su jouer un rôle de composition. Sebastian n'était-il pas en train de vivre la même chose ? N'allait-il pas découvrir trop tard que loin d'avoir besoin de protection, Rachel était une dangereuse prédatrice ?

*Non, Rachel n'était pas comme cela.* Elle était toujours sincère, même pour dévoiler des vérités embarrassantes. Il lui aurait été facile d'utiliser son pouvoir de séduction pour manipuler Sebastian, cependant elle n'en avait rien fait.

C'était probablement l'une des rares femmes totalement honnêtes et authentiques de son entourage.

Subitement impatient de la rejoindre, il se dépêcha de partir.


— Quelle odeur délicieuse !

Affairée aux fourneaux, Rachel se retourna avec un sursaut, une cuillère de bois à la main, et faillit bousculer Sebastian qui se pencha vers ses lèvres. Le parfum de son eau de toilette, mêlé à celui de son corps, plus subtil, la fit chavirer. Elle se sentait toujours sans défense devant lui, et ses sens en émoi la trahissaient.

Comme chaque fois, elle fondit de plaisir quand il l'embrassa sur la bouche et émit un gémissement de protestation quand il la lâcha, beaucoup trop tôt à son gré.

— Attention, le repas risque de brûler ! la taquina-t-il gentiment.

Elle éteignit promptement le gaz et ouvrit la porte du four pour sortir son flan au caramel.

— J'avais informé ma gouvernante que nous dînerions au restaurant, ce soir.

Etait-ce une manière de critiquer son initiative ? se demanda Rachel, un peu inquiète.

— Tu avais l'air fatigué, au téléphone, observa-t-elle pour se justifier.

— Tu n'as pas à faire la cuisine chez moi.

Elle se tourna vers lui en mordillant sa lèvre inférieure.

— Je ne voulais pas te fâcher. Je suis désolée.

— Je ne suis pas fâché, simplement surpris.

— Alors c'est parfait. J'espère que tu aimes le curry.

— J'adore ça.

C'est ce qu'elle avait supposé en faisant l'inventaire des épices dans la cuisine. Il s'éclipsa pour prendre une douche pendant qu'elle dressait la table et la rejoignit bientôt, vêtu d'un simple jean et d'une chemisette.

— Aucune femme ne m'a encore jamais fait la cuisine chez moi, déclara-t-il. C'est une expérience tout à fait nouvelle.

— Agréable, j'espère ?

— Absolument. D'habitude, c'est moi qui m'occupe des autres.

Il posa une main sur son bras et elle frissonna à son contact. Elle réagissait d'une manière ridicule, exacerbée. Il ne fallait pourtant pas perdre de vue le genre d'homme qu'il était.

Tout en commençant à grignoter sans appétit, elle remarqua :

— Les femmes que tu as l'habitude de fréquenter sont sans doute bien trop sophistiquées pour apprécier une soirée tranquille à la maison, avec de bons petits plats et un vieux film à la télévision.

En comparaison, elle devait lui paraître terriblement conventionnelle, sans fantaisie… Mais il avait semblé tellement éreinté, au téléphone, qu'elle avait cherché à se rendre utile. Ce qui était parfaitement stupide, puisqu'il avait une gouvernante pour s'occuper de tous les détails matériels. Elle aurait mieux fait de passer du temps dans la salle de bains à se pomponner…

— C'est ce que tu as à me proposer pour la suite ?

— Pardon ? répliqua-t-elle avec un sursaut.

— Un film ?

— Si tu veux.

Il lui adressa un sourire qui la rassura.

— Je veux bien.

Au bout d'un moment, elle reprit :

— Cette soirée doit te sembler bien terne et banale…

Elle n'avait même pas pris la peine de se recoiffer ni de se changer.

Sebastian s'arrêta de manger pour la regarder.

— Je la trouve très agréable et elle me convient parfaitement.

— Vraiment ?

— Vraiment. Je me réjouis de passer deux heures sur le canapé avec toi pelotonnée contre moi.

— Je ne suis pas du même monde que toi, Sebastian.

— Je viens de te dire que j'étais content, insista-t-il, l'esprit confus.

— Parce que tu es gentil, mais tu ne le penses pas vraiment.

Il fronça les sourcils.

— Je suis sincère. Ne gâche pas cette belle soirée avec des doutes sans fondement. Tu peux me croire.

Rachel finit par se laisser convaincre et lui adressa un sourire radieux. Au diable les hésitations et les incertitudes ! Elle lui faisait plaisir. Il était heureux. Pour l'instant elle n'en demandait pas davantage.

— Et la soirée n'est pas finie, ajouta-t-il. Nous avons toute la nuit devant nous.

Elle avala une bouchée de nourriture en évitant soigneusement son regard. Elle devinait à quoi il faisait allusion et ne se déroberait pas. Elle ne pouvait pas se refuser indéfiniment.

Elle l'aimait, profondément, de tout son être. Sebastian Kouros était bien le seul homme sur terre auquel elle pouvait songer à offrir son corps.

Elle humecta ses lèvres sèches avant de se forcer à donner la réponse qu'il attendait :

— Je suis sûre que nous en garderons tous les deux un merveilleux souvenir, murmura-t-elle.

Sebastian la comprit à demi-mot et une lueur de désir s'alluma dans ses yeux. Mais son visage se rembrunit presque aussitôt.

— Attention, Rachel. Je ne t'ai jamais promis le mariage.

« Quel manque de tact et de romantisme ! » songea la jeune femme, heurtée qu'il formule tout haut ce dont elle avait parfaitement conscience au fond d'elle-même : à savoir qu'il n'y avait pour eux aucun avenir commun.

— Je n'y ai jamais songé non plus, mentit-elle. De toute manière, je sais bien que ta famille rejetterait violemment la fille d'Andrea.

Subitement incapable de supporter plus longtemps cette conversation, elle se leva d'un bond. Encore une minute et elle lui dirait d'appeler une de ses amies sophistiquées pour passer le reste de la nuit.

— Je vais chercher le dessert.

— Rachel !

Elle ne se retourna pas.

— Je reviens tout de suite.

— Je n'ai pas voulu te blesser. Je préfère seulement que tu saches exactement à quoi t'en tenir.

— Bien sûr.

N'empêche qu'elle souffrait. Horriblement.

Sebastian la regarda disparaître dans la cuisine avec une expression dépitée.

Il n'aurait pas pu être plus maladroit. Décidément, quand il s'agissait de lui dire les choses, les mots semblaient ne plus obéir à la plus élémentaire diplomatie !

Il avait présenté cela comme un simple divertissement sexuel, dénué d'importance et d'émotion, au même titre qu'une partie de cartes ou qu'un moment de lecture. La réalité était pourtant très différente. Même s'il n'aimait pas Rachel, s'il n'avait aucune intention de l'épouser, il la désirait avec une intensité qu'il n'avait encore jamais éprouvée pour aucune autre femme.

Au lieu de lui faire cet aveu, en toute franchise, il s'était comporté comme un goujat.

En revenant, elle ne lui laissa pas la possibilité de rectifier son erreur, car elle se mit à parler à toute vitesse, d'une foule de sujets impersonnels et tout aussi insignifiants les uns que les autres.

Mais quand, dans le salon, elle se dirigea ostensiblement vers un fauteuil, il la rattrapa par le poignet.

— Viens t'asseoir près de moi, tu me l'as promis.

Elle se tut instantanément et obtempéra docilement, à la surprise de Sebastian.

Pourquoi se montrait-elle aussi soumise ? Elle n'était pas heureuse et détendue avec lui. Il n'était pas dupe de ses babillages.

Passant un bras autour de sa taille, il attira son visage au creux de son épaule et la serra tout contre lui. Rasséréné par la tiédeur de son corps, il s'abandonna à la douceur de l'instant.

Il avait sans doute mal interprété son accès d'humeur. Elle se moquait peut-être éperdument de ne pas se marier avec lui.

— Tu es bien ? murmura-t-il à son oreille.

# 5.

Elle ne répondit pas à sa question, mais poussa un soupir d'aise. Quelques minutes plus tard, incapable de résister, Sebastian glissa une main sous son chemisier, pour sentir sous ses doigts la douceur de sa peau satinée, juste au-dessus de la taille.

Rachel retint son souffle. Puis, à son tour, elle posa la main sur son torse musclé, à l'endroit où battait son cœur.

— Tu joues avec le feu, l'avertit-il, peu enclin à croire qu'elle consentait à savourer un instant d'intimité alors qu'il venait de se comporter comme un mufle.

— Je suis donc capable de t'embraser ? murmura-t-elle avec un mélange de coquetterie et d'étonnement.

— Oui. Le Vésuve n'est pas plus ardent.

— Tu es gentil.

Elle soupira en continuant lentement son exploration, emmêlant ses doigts à la douce toison.

Sans quitter des yeux l'écran de la télévision, Sebastian se mit à la caresser au creux des reins, d'un mouvement doux et régulier, avec le pouce.

— Je ne suis pas « gentil », *pethi mou*, reprit-il.

Le qualificatif ne convenait pas vraiment à ce qu'il essayait de lui faire ressentir…

— Très sexy, alors, risqua-t-elle avec une expression qu'il n'arriva pas à identifier.

Il éclata d'un rire tonitruant.

Elle promena ses lèvres sur sa poitrine, traçant des lignes de feu sur le contour de ses muscles. Il frissonna et se promit de lui faire éprouver à son tour le supplice délicieux du désir.

A chacune des caresses de Rachel, son pouce remontait vers la courbe généreuse et si tentante de ses seins. Elle commença à gémir, puis prononça son nom tout bas, dans un murmure à peine audible, en s'arc-boutant contre lui.

— Qu'y a-t-il ? demanda-t-il avec une innocence feinte.

— Je… J'ai envie…

Sa main s'immobilisa juste à la limite de son soutien-gorge.

— De quoi as-tu envie ? chuchota-t-il.

— De toi, Sebastian.

Quand elle redressa la tête pour plonger son regard vert dans le sien, il se crut transporté dans un conte de fées.

— J'ai envie de toi, répéta-t-elle.

Elle paraissait sincère, en proie à un désir ardent, authentique. Comment Sebastian n'aurait-il pas été bouleversé par l'expression de ses yeux magnifiques ? Il en perdit la maîtrise de ses émotions. Ce n'était ni son argent ni le mariage qu'elle convoitait. Simplement lui. Rien d'autre.

Avait-il existé une seule femme qui l'avait désiré pour lui-même ? Il ne pouvait pas en être certain. Son compte en banque faisait toujours écran entre lui et les autres.

L'aveu de Rachel le flattait dans son orgueil car il était certain, à présent, qu'elle ne désirait que sa personne. Subitement, la force de son désir s'en trouva décuplée. La jeune femme était venue à lui sans promesses, sans conditions.

Et il se jura qu'elle ne le regretterait pas.

*
* *

En l'espace de quelques secondes, Rachel se retrouva allongée sur le dos, livrée à la voracité d'un homme vibrant de désir. Une fois, par le passé, une situation identique lui avait inspiré une terreur effroyable. Comme les choses étaient différentes… Elle tira impatiemment sur les pans de sa chemise qu'elle acheva de déboutonner fébrilement. Puis elle l'arracha littéralement, et une sorte de convulsion secoua le grand corps de Sebastian.

— Tu aimes ça, n'est-ce pas ? demanda-t-elle en frottant les paumes de ses mains sur son torse.

— Oui, répondit-il dans un souffle.

Comment pouvait-elle l'affecter à ce point ? Cela le stupéfiait. Tandis qu'elle continuait d'explorer chaque centimètre carré de sa peau, il s'abandonna à la volupté de l'instant, poussant de temps à autre des cris rauques, profonds.

Rachel le dévorait des yeux. Il était beau comme un dieu grec. Elle était bouleversée de lui donner, visiblement, autant de plaisir.

A son tour, il tira sur sa chemise pour l'enlever. Un peu anxieuse, Rachel guettait le moment où la vieille peur se réveillerait au fond d'elle-même. Mais quand rien ne se manifesta, elle l'aida à la déshabiller avec un sourire triomphant. Dans leur hâte, leurs doigts s'emmêlaient et ils éclataient de rire en même temps.

Elle rêvait de cet instant depuis le soir où ils s'étaient embrassés sur la plage. Et maintenant, elle avait la certitude que tout se passerait bien. Quelque chose explosa à l'intérieur de sa tête quand il promena les mains sur sa peau nue. La pointe durcie de ses seins se dressait, disant toute son impatience, mais il la faisait attendre, dans un tourment exquis.

Elle secoua la tête en protestant plaintivement. Il lui restait juste assez d'amour-propre pour ne pas le supplier.

Finalement, comme il restait sourd à ses gémissements, elle se tendit vers lui, implorant :

— Caresse-moi les seins !

Il lui obéit aussitôt, avec un plaisir manifeste, après l'avoir débarrassée complètement de son soutien-gorge en dentelle. Il les embrassa, les lécha, les mordilla, relevant de temps à autre la tête pour contempler l'expression de son visage. Elle avait les yeux embués de larmes et un sanglot s'étrangla dans sa gorge.

L'esprit de Rachel sombra dans une sorte de stupeur engourdie. Elle flottait, bienheureuse, dans un océan de sensations. Sans qu'elle s'en rende compte, il ôta les derniers vêtements qui leur restaient. A présent, elle sentait le contact de Sebastian sur tout son corps.

Féminité contre virilité. C'était si étrange, et en même temps si merveilleux ! Elle n'avait jamais rien connu de tel.

L'autre fois, quelques années plus tôt, l'homme, qui cherchait seulement une satisfaction immédiate, ne s'était même pas déshabillé complètement. Mais Sebastian souhaitait autre chose. Il voulait vivre un moment d'intimité partagée. Chaque mot qu'il prononçait, chaque geste qu'il faisait, en donnait la preuve.

Ses jambes glissèrent sur les siennes. Leurs bustes se superposèrent. La bouche de Sebastian prit la sienne avec une exigence sauvage devant laquelle elle capitula. Elle ne se serait jamais crue capable d'un tel abandon. Elle s'offrait à lui, totalement. Le désir la possédait tout entière.

Elle écarta les jambes, appelant de tout son être la consommation de l'acte charnel qui allait les unir l'un à l'autre, irrémédiablement.

La bouche de Sebastian descendit vers le creux de son épaule. Secouée par un frisson, elle répéta son nom, encore et encore, inlassablement.

— Sebastian… Oh, Sebastian…

Des vagues successives de frémissements la parcoururent tandis qu'elle ondoyait sous ses baisers. Les lèvres de Sebastian glissaient toujours plus bas, éveillant des sensations d'une intensité inouïe, dont elle n'avait même pas soupçonné l'existence.

Quand il ouvrit ses cuisses, elle demeura offerte, abandonnée, sans songer aux conséquences. Mais lorsqu'il pressa sa bouche sur l'endroit le plus intime de son être, elle se tortilla dans tous les sens pour essayer de se dérober.

Décontenancé, il s'écarta légèrement pour demander :

— Tu ne veux pas du plaisir que je veux t'offrir ?

Que répondre à cela ?

— Je n'ai jamais…

Comme il continuait à l'interroger du regard, elle répéta, plus fermement :

— Jamais.

Une satisfaction orgueilleuse s'alluma dans les yeux gris de Sebastian.

— Laisse-moi goûter à ton sexe, Rachel.

C'était plus une exigence qu'une demande de permission, mais il s'était immobilisé en attendant sa réponse. De toute manière, une telle fièvre la consumait, qu'elle était bien incapable de dire non.

— Oui, oui…, murmura-t-elle.

Puis elle eut l'impression de se dissoudre sous ses caresses.

Sebastian se délectait de la saveur qu'il découvrait. L'éclosion toute neuve de cette féminité le ravissait et il avait hâte de la posséder entièrement. Aucune femme n'avait encore jamais exacerbé son désir à ce point. La nuit, elle le poursuivait jusque dans ses rêves et il se réveillait avec le goût de ses baisers sur les lèvres.

Il la mena jusqu'au bord de l'extase, avec beaucoup de patience et de douceur. Quand le plaisir de Rachel explosa, elle poussa un cri qui résonna dans la nuit. Elle tremblait encore quand Sebastian se coucha sur elle, ivre de désir.

— J'ai envie de toi, gémit-il d'une voix rauque.

Encore bouleversée par la violence de ses sensations, elle s'adressa à lui sur un ton suppliant :

— Moi aussi, mais s'il te plaît…

— Quoi ? articula-t-il avec difficulté.

— Ne me fais pas mal.

Cette prière le décontenança un instant.

— Tu crois vraiment que tu vas avoir mal ?

— Non, mais…

Ses réactions innocentes, son étonnement, ses hésitations… Tout l'amenait à une conclusion quelque peu surprenante.

— Tu es vierge ?

— Oui.

— Mais tu as vingt-trois ans.

— Je n'ai jamais ressenti cela avec un autre homme.

Il la considéra, le cœur battant. Elle disait la vérité. Il la croyait.

— Tu me fais un grand honneur.

Il la prit tendrement dans ses bras. Jamais le plaisir d'une partenaire ne lui avait semblé aussi important qu'en ce moment, et il espérait qu'elle se souviendrait toujours avec émotion de cette première fois.

Il embrassa ses lèvres avec toute la douceur dont il était capable.

— Ce sera parfait, *agape mou*. Je te le promets.

Elle se soumit à lui, avec une confiance absolue.

— Je te crois, mon amour.

Se rendait-elle compte de ce qu'elle disait ?

Probablement pas… Un égarement infini se lisait dans ses yeux verts. En tout cas, même si elle n'avait pas conscience des mots qu'elle prononçait, cela n'enlevait rien au sentiment qu'elle éprouvait. Jusque-là, Sebastian avait préféré ne rien voir. Mais

Rachel était une femme amoureuse dont la personnalité était aux antipodes de celle de sa mère.

Il prit soin d'éveiller de nouveau son désir, de l'amener jusqu'au point de non-retour, avant d'entrer en elle. Au moment où il la pénétrait, une vérité inéluctable se fit jour dans son esprit.

Ils devaient se marier.

La pensée qu'un autre que lui ne l'épouse était tout simplement intolérable.

— Tu es à moi, grogna-t-il.

Elle lui lança un regard éperdu d'amour.

— Oui, je t'appartiens, totalement. Depuis toujours.

Avec la masse soyeuse de ses cheveux qui retombaient sur les coussins du canapé, elle avait l'air d'une déesse païenne.

Il se mut lentement en elle, avec toute la maîtrise dont il était capable. Toute pensée cohérente l'avait quitté. Il ne lui restait qu'une vague conscience de ses faits et gestes.

Il lui fit l'amour dans un état d'hébétude bienheureuse, et, quand son plaisir explosa, il eut l'impression de connaître une telle violence pour la première fois. Rachel arriva au paroxysme en même temps que lui. L'espace de quelques secondes incroyables, ils perdirent complètement la conscience du monde alentour.

En revenant à lui, il se sentit complètement vidé de ses forces. Rachel pleurait sans bruit, très doucement.

— Je t'ai fait mal ? interrogea-t-il d'une voix soucieuse.

Elle secoua la tête en redoublant de larmes.

— C'est l'expérience la plus merveilleuse de toute mon existence. Je te remercie de toute mon âme.

Il s'écarta en fronçant les sourcils.

— Tu es sûre que tout va bien ?

— Oh ! oui. Simplement… Je ne croyais pas qu'il était possible d'éprouver autant de plaisir.

Il secoua la tête. Et elle, se rendait-elle compte du bonheur qu'elle lui avait offert ?

Il la porta tendrement jusque dans son lit, où elle s'endormit la première, en quelques secondes. Puis il s'écroula à son tour, avec un incroyable sentiment de contentement et de bien-être.

Au cours de la nuit, il la réveilla à deux reprises et, chaque fois, elle répondit avec un abandon adorable.

Sebastian ouvrit les yeux avec l'impression d'avoir perdu quelque chose d'extrêmement important.

Lui-même.

Jamais, de toute son existence, il n'avait connu un désir aussi impérieux, accompagné d'une telle intensité d'émotion. Les exigences nouvelles que son corps lui dictait l'effrayaient un peu. Parviendrait-il jamais à les assouvir ?

Il fallait être insensé pour accorder autant de pouvoir à une femme… Mais en même temps, était-il en mesure de lui résister ?

En tout cas, l'attirance quasi magnétique qu'il éprouvait pour Rachel était réciproque. Elle aussi, visiblement, était incapable de lutter contre ce raz-de-marée.

Quand la douce tiédeur d'un corps de femme se pelotonna contre lui, un flot de souvenirs sensuels envahit son esprit. Rachel avait vibré jusqu'aux tréfonds de son être pendant qu'ils faisaient l'amour. Elle était incroyablement charnelle, sensuelle.

Il se sentit un peu désemparé quand une phrase de la lettre de son oncle lui revint à la mémoire.

Matthias avait dit à peu près la même chose d'Andrea : au lit, elle était l'incarnation de ce dont tous les hommes rêvent. C'était la raison pour laquelle il avait attendu si longtemps avant de mettre un terme à la mascarade de leur mariage. Le sexe était devenu pour lui une sorte de drogue.

*Une drogue.* Le mot décrivait exactement ce que Sebastian ressentait. Malgré tout, il n'était pas esclave de sa libido au point de laisser une femme détruire son orgueil et piétiner sa dignité.

« En es-tu bien sûr ? » lui demanda une petite voix irritante, à l'intérieur de sa conscience.

Perdu dans le tumulte de ses pensées, il contempla la femme endormie à son côté. Son visage était caché par la masse soyeuse de ses cheveux, mais la vue de ses petits seins ronds déclencha un désir immédiat. Il dut se faire violence pour ne pas la réveiller par une caresse.

*Une drogue ou une obsession ?* Quelle différence y avait-il ?

Même s'il avait terriblement envie de refaire l'amour avec elle, il pouvait résister. Il n'était pas enchaîné à ses passions.

Par ailleurs, il devait aussi réprimer un peu ses ardeurs pour ne pas risquer d'effrayer celle qui n'était hier encore qu'une jeune fille.

Il s'arrêta un instant à cette pensée. Rétrospectivement, il n'avait pas l'impression de lui avoir fait perdre sa virginité. Cette expérience était-elle vraiment une première fois ?

Quelques détails, ainsi que des impressions diffuses, qu'il n'avait pas eu le temps d'analyser, lui sautèrent brusquement aux yeux. Elle n'avait pas saigné. Elle n'avait même pas eu mal. Et elle avait chaque fois accepté la pénétration avec une fébrilité impatiente.

Elle avait affirmé qu'elle était vierge, mais les faits prouvaient le contraire.

En prenant conscience de ce mensonge, Sebastian éprouva un mélange de fureur et de douleur. Andrea n'avait-elle pas usé d'un stratagème analogue avec son oncle ? Sans prétendre à la virginité, bien sûr — elle avait un enfant et la trentaine bien entamée —, n'avait-elle pas tu, elle aussi, les très nombreuses expériences de son passé ?

Rachel avait-elle l'intention de le prendre dans ses rets, tout comme Andrea avait jeté son dévolu sur Matthias ? Elle avait accepté de s'offrir à lui alors même qu'il avait écarté toute intention de l'épouser. Pourquoi ?

Un juron lui échappa quand il se rappela brusquement autre chose. Ils n'avaient pris aucune précaution. Elle n'avait même pas évoqué le sujet. Il ne lui vint pas à l'esprit qu'il n'en avait pas parlé non plus…

Les idées s'enchaînant les unes aux autres selon cette logique particulière, Sebastian en arriva à une conclusion abominable : Rachel lui avait tendu un piège. Elle était même plus habile que sa mère, car il n'avait rien deviné, alors qu'il avait toujours vu clair dans le jeu d'Andrea.

Elle l'avait berné. Complètement.

En repensant à la décision qu'il avait prise au milieu de la nuit de l'épouser, il éprouva de la nausée.

Rachel était décidément comme sa mère, une aventurière doublée d'une comédienne au talent extraordinaire.


Rachel sortit de la salle de bains enveloppée dans le peignoir de Sebastian, beaucoup trop grand pour elle. Il n'était plus dans le lit quand elle s'était réveillée, mais elle s'était efforcée de ne pas y attacher une trop grande importance et d'ignorer sa déception. C'était un homme d'affaires très occupé, qui avait probablement beaucoup de retard à rattraper dans son travail après ses quelques jours d'absence.

Elle n'allait pas en tirer des conclusions hâtives. Les tendres égards dont il l'avait entourée prouvaient la valeur qu'il attachait à leur rencontre.

« Que de douceur et d'attention ! » songea-t-elle, le cœur

gonflé d'amour. Elle n'aurait pas pu rêver première fois plus belle et merveilleuse. Un vrai bonheur.

Sebastian Kouros était un amant parfait.

Naturellement, elle n'avait pas envie que leurs relations s'arrêtent là. Mais elle n'avait demandé aucune promesse et il n'en avait pas fait non plus. Cela changerait-il quelque chose si elle lui racontait son histoire et qu'elle lui avouait ses sentiments ?

Il fallait qu'il sache qu'elle n'avait rien de commun avec sa mère. Elle n'avait jamais couché avec un homme et avait toujours refusé les aventures. Et puis, elle l'aimait. Elle était pratiquement sûre de le lui avoir dit pendant leurs ébats amoureux. Oserait-elle répéter ces mots en plein jour ?

Si non, supporterait-elle le prix à payer pour sa lâcheté ? Sebastian la laisserait repartir aux Etats-Unis en croyant qu'elle se satisfaisait d'une expérience sans lendemain. Alors qu'au contraire, elle voulait tout.

Il n'était probablement pas amoureux d'elle, mais ses émotions allaient bien au-delà d'une simple attirance physique. Cela suffisait-il pour construire une relation ? Le voudrait-il seulement ?

Elle ne le découvrirait qu'en parlant avec lui.

D'ailleurs, elle n'avait pas à avoir honte de son amour. Elle ne se retrancherait ni derrière son orgueil ni derrière sa peur du passé.

Elle avait tant d'aveux à lui faire à ce sujet, justement ! Quand il saurait ce qui lui était arrivé, il réaliserait à quel point elle était différente de sa mère et pourquoi elle ne lui ressemblerait jamais. Son expérience d'adolescente l'avait conduite à rejeter le mode de vie d'Andrea d'une manière absolue et définitive. Sebastian était quelqu'un d'intelligent. Il comprendrait.

Et il croirait à la sincérité de ses sentiments car, après un tel traumatisme, aucune femme ne pouvait s'offrir à un homme sans confiance ni amour.

Elle se dirigeait vers la porte d'un pas décidé quand Sebastian fit brusquement irruption dans la chambre, la mine sombre.

— Qu'y a-t-il ? l'interrogea Rachel en se demandant s'il ne valait pas mieux remettre la discussion à plus tard.

Il n'avait pas l'air très réceptif.

Mais presque aussitôt, elle se traita de lâche. Avec les innombrables responsabilités dont il avait la charge, Sebastian aurait souvent cette expression préoccupée. Il fallait passer outre. Leurs émotions et leur vie privée se situaient à un plan supérieur.

— Rien, répondit-il en lui jetant un regard bizarre. Tu as bien dormi ?

— Oui.

Elle prit une profonde inspiration.

— Sebastian, j'ai à te parler.

— Ah bon ? lança-t-il avec une désinvolture qui la glaça.

Elle poursuivit néanmoins :

— Peux-tu m'accorder quelques minutes ?

Il esquissa un sourire ironique.

— Je pense avoir deviné de quoi il s'agit.

— Non, je ne crois pas.

Sebastian avait beau être un homme extrêmement intelligent, il n'était tout de même pas capable de lire dans ses pensées.

— Cela concerne ta virginité, déclara-t-il platement.

Choquée, elle le regarda fixement et resta quelques secondes sans pouvoir proférer un son. Comment avait-il deviné ?

— Comment es-tu au courant ? Andrea ? questionna-t-elle, incrédule, mais incapable d'imaginer un autre scénario.

— Oui, c'est ta mère qui m'a mis sur la voie.

« Quelle curieuse façon de s'exprimer », songea-t-elle.

— Sebastian, je fais allusion à ce qui m'est arrivé quand j'avais seize ans. Parles-tu de la même chose ?

Il pâlit et une expression de colère se peignit sur ses traits mais il se ressaisit presque aussitôt.

— Tu vas me dire que tu as eu une expérience traumatisante avec un homme ?

Elle hocha la tête. La situation se compliquait… Les jambes chancelantes, elle s'assit sur le bord du lit.

— Je n'arrive pas à croire qu'elle t'en ait parlé. Elle m'avait fait jurer de ne jamais rien dire.

— Et maintenant, tu vas me raconter que tu te croyais incapable d'avoir des relations sexuelles avec un homme, et que je t'ai révélée à toi-même.

C'était sa froideur qui la gênait… Elle aurait voulu savoir ce qu'il pensait vraiment.

Comment pouvait-il paraître aussi indifférent ? Mais c'était peut-être un moyen de se protéger. En Grec traditionnaliste, possessif et protecteur, il avait sans doute beaucoup de mal à aborder ce genre de questions.

— Je te connais bien, reprit-il.

— Oui, répondit-elle, le cœur battant. Tu dois donc savoir combien je t'aime.

Il se détourna avec une expression de souffrance.

— Dis-moi une chose, Rachel…

Même s'il ne voulait pas répondre, il n'aurait pas dû faire semblant de n'avoir rien entendu…

— Savais-tu que Matthias avait l'intention de divorcer ?

Quel rapport avec eux ? Néanmoins, elle acquiesça avec un soupir.

— Une amie d'Andrea m'a annoncé la nouvelle dans un e-mail.

Il se retourna brusquement, fou furieux, une expression terrifiante au fond des yeux.

— C'est donc ce qui a déclenché la grande scène de séduction d'hier soir.

— Quelle scène de séduction ?

Décidément, rien ne se passait comme prévu et Rachel était de plus en plus décontenancée.

— Le dîner, la nuit d'amour… Tout s'explique. Tu es venue en Grèce en apprenant qu'on allait couper les vivres à ta mère. Comme tu ne voulais pas te retrouver perdante, tu as concocté un plan pour mettre le grappin sur un autre milliardaire.

— Qu'est-ce que tu racontes ?

Il balaya sa question du revers de la main.

— Et tu as joué les vierges innocentes ! poursuivit-il avec mépris. Feignant de faire l'amour pour la première fois !

Rachel n'arrivait pas à croire qu'elle était réellement en train de vivre cette scène épouvantable. Elle devenait de plus en plus horrifiée au fur et à mesure qu'il parlait. Glacée jusqu'à la moelle, elle resserra autour d'elle les pans du peignoir.

— Tu crois que j'en veux à ton argent ? articula-t-elle faiblement.

Elle aurait voulu crier, mais elle n'en avait pas la force et c'est un chuchotement à peine audible qui sortit de sa bouche.

— Tu crois que je suis venue assister aux obsèques de ma mère en Grèce avec l'intention de te séduire ?

Non seulement l'idée la révoltait, mais cela dénotait un égocentrisme incroyable de la part de Sebastian.

— Tu étais au courant du divorce.

— Pas avant mon départ. Je ne l'ai appris qu'hier.

— Hier, vraiment ? lança-t-il narquois.

Il demeura de marbre, une expression impénétrable figée sur ses traits pendant qu'elle lui expliquait à quel moment elle avait pris connaissance de son courrier électronique. Visiblement il n'en croyait pas un mot.

— Tu veux me persuader qu'Andrea ne t'a même pas prévenue ? Quel curieux hasard, tout de même, d'apprendre la nouvelle par un e-mail posthume !

Même si cela paraissait très improbable, cela n'avait rien

non plus d'invraisemblable. Pourquoi se moquait-il d'elle aussi méchamment ?

— Non, je ne cherche pas à t'en persuader à tout prix. Mais c'est tout de même la stricte vérité, déclara-t-elle tristement.

En quelques minutes, elle avait tout perdu. Ses espoirs s'étaient brisés. Elle n'avait plus d'avenir.

# 6.

— Si tu me connaissais vraiment, tu saurais quel combat intérieur j'ai dû livrer avant de pouvoir affronter l'idée de faire l'amour avec toi.

— Tu as parfaitement joué ton rôle. Le scénario était très au point. Mais je ne suis sans doute pas aussi crédule que Matthias.

Que voulait-il dire ? Qu'elle s'était inventé une expérience traumatisante ? Elle n'arrivait pas à comprendre comment Sebastian avait pu abandonner son comportement d'amant tendre et attentionné pour devenir cet étranger, aussi dur et insensible.

Que s'était-il passé ?

— J'ai passé une nuit merveilleuse, dit-elle.

Une ombre voila le regard de Sebastian. Elle n'essayait même plus de comprendre. Tout au fond de son être, quelque chose de très précieux était en train de mourir.

— Inutile de continuer à me manipuler, maugréa-t-il. Encore une fois, je ne suis pas comme mon grand-oncle. Je suis capable de dominer mes instincts pour ne pas tomber dans les filets d'une aventurière.

C'en était trop. Elle ne se laisserait pas injurier.

— Je t'interdis de m'insulter ! s'écria-t-elle en se levant d'un bond.

— Il n'y a que la vérité qui blesse, railla-t-il.

— Que sais-tu de la vérité ? Je ne suis pas comme ma mère. Je ne t'ai pas raconté d'histoires.

Il demeura inébranlable.

— Ta prétendue virginité est aussi factice que ton amour.

Elle secoua la tête en s'efforçant de remettre de l'ordre dans ses idées.

— Tu ne me crois pas ?

— Tu t'embrouilles toi-même dans tes mensonges. Tu laisses entendre que tu as été violée, mais ensuite tu dis que tu es vierge. Quelle version dois-je croire ?

— Je n'avais jamais eu de relations sexuelles avant toi.

Elle se sentait bien incapable d'en dire davantage pour l'instant. Comment lui aurait-elle raconté son souvenir le plus pénible alors qu'il affichait une mauvaise foi éhontée ?

— Tu n'as pas saigné.

Cela constituait-il à ses yeux une preuve irréfutable ?

En tout cas, à seize ans, le sang l'avait terrifiée. Naturellement, sa mère avait refusé de l'emmener aux urgences et lui avait demandé d'être raisonnable, en lui expliquant froidement que c'était un phénomène parfaitement naturel, qui arrivait à toutes les femmes quand leur hymen se déchirait.

La douleur qu'elle éprouvait en ce moment dépassait de loin ce qu'elle avait ressenti à l'époque…

— Je me suis offerte à toi librement, sans rien te demander en échange, reprit-elle, non plus pour le convaincre, mais pour souligner une évidence. Cela ne compte-t-il pas pour toi ?

— Il fallait te vendre. Tu as sous-estimé ta valeur.

Chaque mot lui fit l'effet d'une gifle. Avoir des relations sexuelles en dehors du mariage constituait pour elle un sacrifice. Elle croyait au prince charmant et aurait eu envie d'une robe de mariée et d'une vraie nuit de noces. Elle n'y avait renoncé que par amour pour lui.

Et lui qui ne se rendait compte de rien ! Elle s'était comportée comme une parfaite idiote, beaucoup trop naïve…

— Tu n'as rien à ajouter ? reprit-il sur un ton coupant, qu'elle ne lui connaissait pas.

Elle se contenta de secouer la tête, sans même le regarder. Elle n'entendait plus les battements de son cœur tellement elle avait mal.

Il attendit encore quelques secondes, dans un silence tendu, avant de tourner les talons et de quitter la pièce.

Elle s'assit, anéantie. La douleur formait comme un rempart impénétrable autour de ses émotions. Jamais plus personne n'y aurait accès. Même pas elle-même.

Il se passa une éternité avant qu'elle puisse se relever. Elle laissa retomber à terre le peignoir qui l'enveloppait, pour ne plus avoir à supporter le contact de quelque chose qui appartenait à Sebastian. Puis elle se dirigea vers sa chambre, dont elle referma la porte à clé. Elle eut vaguement conscience d'une présence, en traversant le vestibule en tenue d'Eve, mais n'y prêta aucune attention. Tant pis si c'était un domestique, cela n'avait aucune importance.

Le processus destructeur entamé par sa mère bien des années plus tôt venait de se conclure dans la chambre de celui qu'elle aimait.

Un poids immense lui écrasait la poitrine. Elle était anesthésiée. Elle ne se sentait même pas triste. Juste… engourdie.

Et soulagée. Car elle avait eu son content de malheurs.

En faisant ses bagages, elle retira de sa valise le coffret dans lequel elle avait ajouté quelques souvenirs de cette dernière semaine. Un coquillage ramassé sur la plage après leur partie de pêche, une fleur que Sebastian avait cueillie pour elle pendant une promenade. Sans même l'ouvrir, elle le jeta dans la corbeille à papier. Puis elle appela l'aéroport. On lui conseilla d'attendre un désistement en stand-by. Elle téléphona à un taxi.

Une demi-heure plus tard, elle quittait l'appartement. Sebastian était au téléphone. Elle ne s'arrêta même pas devant la porte entrebâillée pour lui dire au revoir. Tout avait été dit. Elle espérait seulement ne plus jamais croiser sa route.


— Comment va ton invitée, mon fils ?

Sebastian serra convulsivement le récepteur téléphonique. Depuis deux longues heures, il s'efforçait vainement de chasser son « invitée » de son esprit, ainsi que le souvenir de la nuit précédente. Malgré des affaires urgentes qui réclamaient son attention, il ne parvenait pas à se concentrer. La question innocente de sa mère ravivait douloureusement son sentiment de culpabilité.

Il se remémorait ses propres paroles, ses réactions à elle… Les suppositions qu'il avait échafaudées avaient brusquement perdu leur pouvoir de conviction. A la lumière crue de la réalité, une émotion insupportable le tenaillait.

« Seigneur, qu'ai-je fait ? »

— Sebastian ? lança sa mère comme elle n'obtenait pas de réponse.

— *Ne ?*

— Je t'ai demandé des nouvelles de Rachel.

— Elle ne va pas très bien.

— Vous vous êtes disputés ?

Son ton réprobateur sous-entendait qu'elle rejetait toute la faute sur lui.

— Elle est comme sa mère.

— Tu ne crois pas vraiment à ce que tu dis ?

Même s'il commençait à avoir des doutes, il était encore trop tôt pour admettre le désastre qu'il avait provoqué.

— Pourquoi serait-elle différente ?

— Tu serais vraiment idiot de le penser.

Sebastian grinça des dents.

— Explique-moi pourquoi.

— Il suffit de passer seulement une heure en sa compagnie pour s'en rendre compte. Tes préjugés ont faussé ta capacité de jugement.

— Et toi, tu te laisses aveugler par la gentillesse.

Sa mère poussa un soupir exaspéré.

— Elle a passé toutes ces dernières années à l'étranger pour ne plus voir sa mère. En plus, depuis la fin de ses études universitaires, elle n'a plus voulu accepter le moindre sou de Matthias. Si elle était comme sa mère, elle aurait profité de la situation.

Une sensation très désagréable était en train de s'emparer de Sebastian.

— Matthias ne lui donnait plus rien ? Je l'ignorais…

— Chaque fois qu'on commençait à parler d'elle, tu changeais de sujet.

L'ambivalence de ses sentiments le mettait tout simplement mal à l'aise. Il fit une ultime tentative pour se justifier :

— Elle m'a menti.

— Cela m'étonnerait.

Poussé dans ses derniers retranchements par le reproche de sa mère, il se vit contraint d'expliquer la situation.

— Rachel prétendait être vierge, alors que c'était faux. Elle a essayé de me piéger, comme Andrea avec Matthias.

Philippa poussa une exclamation affligée.

— Comment peux-tu être si sûr de toi ?

— D'après toi ? lança-t-il sur un ton irrité.

— Ne me dis pas que tu lui as lancé cette accusation à la figure après avoir fait l'amour avec elle !

— Je ne suivrai pas le même chemin que mon grand-oncle.

— Mon pauvre enfant ! s'écria-t-elle. Qu'est-ce qui te prouve qu'elle n'était pas vierge ?

— *Mama*, je n'ai pas envie de discuter de ça avec toi.

— Alors avec qui ? Puisque tu as commencé, va jusqu'au bout !

— Il n'y a pas eu de sang, expliqua-t-il en rougissant d'embarras, malgré la distance qui les séparait.

— Eh bien ?

— Enfin, *mama* ! Ce n'est pas la chose en soi qui me pose un problème. Mais puisqu'elle m'a menti sur ce sujet-là, je ne peux vraiment pas avoir confiance en elle.

— Et tu t'es appuyé sur ce raisonnement pour lui briser le cœur ?

— Je t'en prie !

— Tu l'as pourtant rejetée ?

— Je ne lui avais rien promis.

— Mais c'est elle que tu accuses d'imposture !

Sa mère s'engagea alors dans une tirade interminable sur la stupidité et l'entêtement des hommes grecs. A trente ans passés, il aurait dû savoir que toutes les femmes n'arrivaient pas à l'âge adulte avec un hymen intact. En aucun cas cela ne pouvait constituer une preuve suffisante. Elle avait honte de son fils, qui avait abusé de l'innocence d'une jeune fille pour ensuite oser se plaindre de la duplicité de celle-ci. Qu'il ne s'étonne pas si Rachel refusait de le revoir. Il méritait de finir ses jours en célibataire malheureux.

Si elle voulait des petits-enfants, elle devrait compter sur son frère, car il n'était pas question qu'il transmette les gènes de son cynisme à de pauvres êtres sans défense.

Quand elle eut raccroché, Sebastian demeura étourdi pendant plusieurs minutes.

En fait, sa mère avait raison. Comment avait-il pu échafauder ce roman invraisemblable ? Sans aucune preuve, il avait chargé Rachel de tous les défauts de sa mère. Il blêmit en repensant à tout ce qu'il lui avait dit, aux accusations épouvantables qu'il avait proférées. Il lui avait infligé une souffrance impardonnable, alors qu'elle s'était offerte à lui librement, sans demander aucune contrepartie. L'expression de biche blessée, dans ses grands yeux verts, le hantait comme un vivant reproche.

Il en était même arrivé à se convaincre que l'oubli d'un contraceptif était de sa faute à elle. Alors que lui-même, dans son empressement et malgré son expérience, n'y avait pas pensé un instant. Les paroles de sa mère n'étaient rien en comparaison des reproches qu'il se faisait maintenant.

Un gouffre sans fond se creusa sous ses pieds, menaçant de l'engloutir. La gorge serrée, il se dirigea vers la chambre de la jeune femme. Quels mots pourraient jamais racheter son inqualifiable comportement ?

Mais la pièce était vide. Rachel avait disparu, avec tous ses bagages. Un nœud à l'estomac, il se mit à ouvrir avec affolement tous les tiroirs et les portes des placards. Il n'y avait plus rien. Rachel était partie.

Dans l'espoir de découvrir un mot, une enveloppe, il jeta un regard circulaire dans la pièce et aperçut le petit coffret dans la corbeille à papier. Un coffret identique à celui dans lequel Philippa Kouros conservait des souvenirs de son mari défunt.

Poussé par la curiosité, il l'ouvrit sans le moindre scrupule. Mais à la vue de ce qui se trouvait à l'intérieur, un sentiment de désolation intense s'empara de lui. Rachel s'était débarrassée de tous les souvenirs qu'elle associait à son existence, et que manifestement elle collectionnait depuis très longtemps, comme autant de preuves des sentiments indéfectibles qu'elle lui vouait.

Des sentiments qu'il ignorait.

En fait, ce n'était pas tout à fait exact. Il avait remarqué l'adoration timide qu'elle avait pour lui, depuis qu'elle n'était encore qu'une adolescente. Mais il avait refréné son désir par peur de flétrir son innocence, et aussi parce qu'elle manifestait de grandes réticences envers les hommes en général. Par exemple, elle ne se baignait jamais dans la piscine lorsque sa mère recevait des amis.

Pendant toute la période où elle avait vécu sur l'île, avant son départ pour l'université, elle s'était tenue à l'écart des réceptions que donnait Andrea.

Plus Sebastian y songeait, plus les conclusions auxquelles il était arrivé quelques heures plus tôt lui paraissaient stupides et sans fondement. Le chagrin occasionné par la mort de Matthias était sa seule excuse. Avec lui, il avait perdu une figure paternelle en même temps qu'un guide et un modèle dans le monde des affaires. Sa disparition accidentelle renforçait l'impression d'absurdité qui teintait son existence depuis le mariage de son grand-oncle avec Andrea.

Le chagrin l'avait égaré. Il avait préféré se voiler la face et ne rien voir, pour une question de confort personnel.

Les cordes vocales paralysées, Rachel se tassa sur la chaise du cabinet médical, sous le regard perspicace du docteur qui venait d'asséner son verdict. Elle était consternée.

— C'est relativement fréquent, déclara-t-il. Vous seriez étonnée du nombre de patients de moins de trente ans qui souffrent de troubles cardiaques. La fibrillation ventriculaire en constitue l'une des formes les plus bénignes.

Le risque d'une attaque ou d'une crise cardiaque ne semblait pas du tout insignifiant à Rachel, mais le Dr Pompella soignait peut-être, en effet, des malades plus gravement atteints.

— Les symptômes disparaîtront d'ailleurs probablement si on traite votre hyperthyroïdie, reprit le médecin.

— Mais si j'ai bien compris, le traitement n'est pas sans risques ?

— Ils sont minimes. Surtout si vous suivez un régime alimentaire strict en prenant des anticoagulants. Si vous passez sans problème le cap des six semaines, vous ne craindrez pratiquement plus aucune complication.

Tout de même, à vingt-trois ans, Rachel se sentait trop jeune pour avoir des problèmes de santé.

— Quel traitement me proposez-vous ? demanda-t-elle.

— Vous avez le choix entre les médicaments, la chirurgie ou la radiothérapie.

A l'évidence, l'ingestion d'une solution iodée semblait la thérapie la plus facile et la moins contraignante. La moins douloureuse aussi, sans effets secondaires.

— Malgré tout, vous devrez vous tenir à l'écart des jeunes enfants et ne pas avoir de rapports intimes pendant une période de soixante-douze heures après le traitement.

— Je vois.

La question qu'elle s'efforçait d'ignorer depuis maintenant deux mois s'imposa à son esprit.

— Quelle incidence le traitement pourrait-il avoir sur une grossesse éventuelle ? demanda-t-elle.

— Vous avez des raisons de penser que vous êtes enceinte ?

— Je ne sais pas.

Comme le médecin l'interrogeait du regard, elle ajouta :

— J'ai eu mes règles une semaine après, mais…

Elle s'interrompit pour respirer profondément et reprit :

— C'était seulement des saignements légers. Et je n'ai rien eu depuis deux mois.

— Pas de nausées ?

— Non.

— Les seins gonflés ?

— Un peu…

— Il y a de multiples raisons pour expliquer un retard de règles…

84

— Je sais. C'est pour ça que j'ai pris rendez-vous chez un médecin.

Sans du tout s'attendre, évidemment, au diagnostic qu'on venait de lui annoncer. Elle souffrait d'une maladie de cœur occasionnée par une hyperthyroïdie.

— Une grossesse rendrait impossible l'utilisation de la radiothérapie. Si vous avez le temps maintenant, il vaudrait mieux faire un test.

Rachel acquiesça.

Une heure plus tard, assise sur la même chaise, elle entendit un second verdict tomber et le monde s'écroula.

— Je suis enceinte de dix semaines ?

— C'est exact. Il nous faut à présent envisager toutes les éventualités.

— Oui.

Mais Rachel n'écoutait plus le Dr Pompella. Depuis deux mois et demi, dans le même temps où ce bébé commençait à se former dans son ventre, elle s'était complètement coupée du monde pour s'isoler dans un cocon, auquel personne n'avait accès. Et brusquement, elle découvrait qu'elle n'était pas seule et qu'il y avait quelqu'un avec elle dans ce cocon. Elle allait avoir un bébé et ce bébé ferait partie de ses mécanismes de défense jusqu'à la fin de ses jours.

— Le père est présent ?

La voix du médecin ramena Rachel à la réalité.

— Non.

Une image floue de Sebastian se présenta à son esprit, mais elle la rejeta violemment.

— Il ne fait pas partie de ma vie.

— Il est encore temps d'envisager un avortement.

Aussitôt, l'instinct maternel de la jeune femme s'insurgea.

— Il n'en est pas question !

— Vous pouvez tout de même y réfléchir, suggéra son interlocuteur.

— Non.

— Vous devez considérer le problème de tous les points de vue. Si vous ne soignez pas votre hyperthyroïdie, votre arythmie cardiaque continuera, avec les risques que vous savez. Un traitement médicamenteux peut également présenter des dangers pour votre grossesse.

— Dans ce cas, je ne prendrai rien.

— Ce qui vous laisse à la merci d'un accident pendant les sept prochains mois.

— Existe-t-il des traitements sans danger pour le bébé ?

— On pourrait essayer les bêtabloquants, quoiqu'on ne puisse rien garantir.

Rachel remercia le Dr Pompella en lui promettant de réfléchir. Mais en son for intérieur, elle savait qu'elle ne reviendrait pas le consulter. A ses yeux, un médecin qui envisageait froidement l'avortement comme solution thérapeutique alors qu'elle ne souffrait d'aucun symptôme n'était pas digne d'intérêt. De toute manière, si personne n'avait encore diagnostiqué cette arythmie cardiaque, ce ne pouvait pas être bien grave.

Elle soigna son alimentation, pour elle-même et pour le bébé, et aménagea quelques heures de gymnastique douce dans son emploi du temps. Elle choisit également un bon obstétricien et adopta un régime riche en vitamines. Comme elle se sentait physiquement en pleine forme, elle ne mentionna pas ses petits soucis de santé.

Même si Sebastian lui manquait parfois atrocement, surtout la nuit, elle réussissait généralement à maîtriser ses angoisses dans la journée.

*
* *

L'insouciance et le dédain avec lesquels elle considérait son problème de santé connurent un terme le jour où elle se réveilla dans une ambulance, après être tombée en syncope. Même si on l'autorisa à rentrer chez elle quelques heures plus tard, elle se rendit à l'évidence : elle devait faire attention et éviter toute imprudence.

De plus, il fallait qu'elle prenne ses dispositions pour le cas où il lui arriverait quelque chose. Elle avait plusieurs fois songé à appeler Sebastian, depuis l'annonce de sa grossesse. Même si elle ne l'aimait plus, ce n'était pas une raison pour priver son enfant de l'existence d'un père. Elle-même avait trop souffert de cette situation dans son enfance pour la recréer consciemment.

Sebastian l'accuserait de lui tendre un nouveau piège… Mais tant pis. Avec le temps, il finirait par se rendre compte de ses erreurs. Il avait le sens de la famille et saurait s'occuper de son enfant une fois qu'il aurait accepté sa paternité.

Elle l'appela à son bureau dès le lendemain. Comme il était en réunion, elle laissa son nom à la secrétaire.

— Rachel Long. Ou plutôt Rachel Newman, s'il me rappelle sur mon lieu de travail.

— Rachel Long ? répéta la secrétaire avec affolement. Ne quittez pas, je vais vous mettre immédiatement en communication avec M. Kouros.

— Ce n'est pas nécessaire, répondit Rachel. Qu'il me rappelle quand il aura le temps.

— Mais j'ai des instructions très précises, madame Newman.

Avant que Rachel ait eu le temps de comprendre ce qui se passait, la voix grave et chaude de Sebastian résonnait à son oreille.

— Rachel ?

— Oui.

— Rachel Newman, maintenant ? s'enquit-il d'une voix bizarre.

— Oui.

— Je... Je suis...

Un silence suivit, si long que Rachel crut que la communication était coupée.

— Sebastian ?

— *Ne*. Oui. Je dois te féliciter, j'imagine.

— Pourquoi ?

Il ne pouvait pas être au courant, pour le bébé...

— Ton mariage.

De quoi parlait-il ?

— Tu es fou ? Je ne suis pas mariée !

— Vraiment ?

— Mais non !

Il avait vraiment une piètre opinion d'elle, s'il croyait sincèrement qu'elle pouvait, si vite, se tourner vers un autre homme et... l'épouser.

— Newman, ça sort d'où, alors ? demanda-t-il avec colère.

Elle lui expliqua pourquoi elle avait changé de nom, depuis plusieurs années, ce qu'il ignorait.

— Quelle est la raison de ton appel, *agape mou* ?

Rachel eut l'impression d'avoir entendu un mot tendre, mais elle devait se tromper. La liaison était mauvaise...

— J'ai quelque chose à te dire. Deux choses, en fait.

— Je t'écoute.

— Je suis enceinte. Tu vas probablement refuser de croire que le bébé est de toi, mais je suis prête à me soumettre aux tests biologiques.

Elle avait pris sa décision avant de décrocher le téléphone, négligeant son amour-propre pour le bien de l'enfant.

— Sebastian ?

— Je suis là.

— Tu ne dis rien ?

— Je ne sais pas quoi dire.

Mais il apporta aussitôt un démenti à ses paroles en ajoutant, d'une voix émue :

— Dieu merci ! tu m'as téléphoné pour m'annoncer la nouvelle ! Tu n'avais pourtant pas beaucoup de raisons de me faire confiance.

— Je ne te fais pas confiance, répliqua-t-elle.

Comment pouvait-il penser le contraire ? Elle n'était tout de même pas sotte à ce point. Après ce qu'il lui avait fait…

— Mais tu m'as appelé.

— Je n'avais pas le choix.

— Parce que tu es enceinte.

— Il y a des complications. J'ai besoin d'être rassurée sur le sort de mon bébé.

— Que veux-tu dire, des complications ? Tu as des problèmes de santé ?

Elle lui rapporta son entretien avec le Dr Pompella, sans toutefois lui parler de son hospitalisation au service des urgences. Il lui posa une foule de questions, auxquelles elle ne connaissait parfois pas la réponse. Mais elle lui promit de ne plus faire l'autruche et d'interroger longuement les médecins.

Quand elle évoqua son refus d'envisager un avortement, il proféra un juron, mais elle n'osa pas lui demander qui il approuvait, le médecin ou elle-même.

— Laisse-moi toutes tes coordonnées, ordonna-t-il sur un ton sans réplique.

Elle obtempéra docilement.

— Et maintenant, comment te sens-tu ? s'enquit-il.

— Très bien, assura-t-elle.

— Je te rappellerai un peu plus tard, conclut-il avant de raccrocher.

# 7.

Rachel resta sans bouger pendant plusieurs secondes, à fixer le récepteur muet.

Elle avait l'impression bizarre d'avoir basculé dans un monde parallèle. Un monde dans lequel Sebastian Kouros n'était pas un mufle.

La discussion ne s'était vraiment pas passée comme prévu. Pas de récriminations ni d'accusations, ou déni scandalisé de paternité… Aucun propos cinglant, mis à part le fait qu'il l'ait crue capable de se marier moins de trois mois après lui avoir offert sa virginité. Et elle ne pouvait pas lui en vouloir, puisqu'elle s'était présentée sous un nom qu'il ne connaissait pas.

Il n'avait même pas semblé en colère… Mais pourquoi avait-il raccroché aussi abruptement ?

Sans doute pour se donner le temps de la réflexion. N'avait-elle pas elle-même longuement hésité, avant d'affronter la réalité ? Pour lui, c'était bien pire. Une femme qu'il avait éconduite, en qui il n'avait aucune confiance et qu'il espérait bien ne jamais revoir, lui annonçait brutalement qu'elle était enceinte.

C'était le même cauchemar que le sien, vu sous l'angle opposé.

Seulement il n'avait pas du tout réagi comme devant une catastrophe. Au début de la conversation, il avait presque paru soulagé. Puis inquiet. Cela n'avait aucun sens.

L'ironie de la situation lui souleva le cœur. Elle s'évertuait depuis de longues semaines à ne rien ressentir. Ce coup de fil n'allait tout de même pas réveiller des tourments stériles ?

Selon toute probabilité, il s'agissait d'une nausée liée à son état physique. Forcément, puisqu'elle avait détruit impitoyablement ses émotions…

Tracassée par toutes sortes de pensées concernant Sebastian, le bébé et sa santé, Rachel souffrit d'insomnie, cette nuit-là.

Sebastian n'avait pas rappelé. Comment fallait-il interpréter cela ? Elle avait beau passer en revue toutes les répliques qu'ils avaient échangées, le mystère demeurait entier. Elle ne comprenait rien à cet homme.

La crainte d'un avenir incertain la maintenait dans une nervosité et une tension éprouvantes. Elle n'arrivait pas à trouver une position confortable. Crispée, énervée, elle se tournait et se retournait dans son lit, sans du tout parvenir à s'assoupir, ne serait-ce que quelques minutes. Finalement, à bout de patience, elle rejeta draps et couvertures froissés et se releva.

Une tasse de lait chaud, avec un peu de miel et de vanille, la calmerait peut-être. Elle la but comme un médicament avant de retourner dans sa chambre, bien résolue à prendre un peu de repos.

Il fallait d'abord refaire le lit qui ressemblait à un champ de bataille. Elle avait retapé les oreillers et était en train de border le drap de dessus quand la sonnette de la porte d'entrée retentit. Il était 3 heures du matin. Un deuxième coup de sonnette, insistant, résonna dans le silence.

Indécise, Rachel s'immobilisa. Qui pouvait bien se présenter chez elle au milieu de la nuit ? Personne de son entourage ne se permettrait une chose aussi inconvenante. Quant aux amies de sa mère, aucune n'avait son adresse.

Un troisième coup, encore plus long, l'obligea à réagir et elle trottina sur la moquette du couloir jusqu'à l'entrée. Une secousse d'adrénaline accéléra dangereusement les battements de son cœur.

A présent, un poing tambourinait contre sa porte, avec une force impérieuse. Retenant son souffle, elle se pencha vers le judas et n'aperçut qu'un col de chemise blanche, entrouvert. Même sans voir le visage de son visiteur, elle sut qui il était.

*Sebastian.*

Aussitôt, elle tourna les verrous pour lui ouvrir la porte en grand. Ses lèvres bougèrent pour former une parole de bienvenue, mais aucun son n'en sortit.

Les yeux de Sebastian, couleur d'ardoise, brillaient d'une expression indéfinissable dans un visage presque hagard de fatigue. Il avait beaucoup maigri, en l'espace de deux mois, comme s'il avait été malade, et deux plis amers se creusaient aux commissures de ses lèvres. Il avait dû faire face à de graves soucis, pour avoir cet air éreinté.

Rachel tendit machinalement la main vers lui, comme pour s'assurer de la réalité de cette apparition. Il lui paraissait complètement impossible que Sebastian Kouros se trouve là, en personne, devant sa porte.

Son cœur se mit brusquement à battre la chamade et elle manqua d'air. Sa respiration devint haletante et un vertige la saisit. Sebastian la prit dans ses bras et la porta à l'intérieur.

— Où est la chambre ?

Elle lui indiqua le bout du couloir. Quelques secondes plus tard, il la déposait sur son lit.

— Comment te sens-tu ? Dois-je appeler un médecin ?

— Non. Le choc de te revoir… Je… Ça m'a coupé le souffle, littéralement.

Il se raidit.

— J'aurais dû te prévenir, mais depuis la minute où tu m'as parlé au téléphone, je n'ai plus pensé qu'à te rejoindre, le plus vite possible.

Elle souffrait d'hallucinations. Bientôt, il lui avouerait qu'elle lui avait manqué atrocement…

— A cause du bébé, suggéra-t-elle, en se raccrochant à la seule explication plausible.

Dans les familles grecques, on avait le sens de l'honneur et des responsabilités. Rachel sentait bien que quelque chose clochait dans son raisonnement, mais tout était si incohérent…

Sebastian pinça les lèvres.

— C'est évidemment ce que tu dois penser.

— C'est bien la vérité, non ?

Elle ne comprenait plus rien. Elle était épuisée. La présence de Sebastian semait toujours la confusion dans son esprit et comme un peu plus tôt au téléphone, la conversation tournait au dialogue de sourds.

— Je m'inquiète pour notre enfant, bien sûr, mais aussi pour toi.

N'ayant rien oublié de la façon odieuse dont il l'avait chassée de son existence, elle secoua la tête. Elle était peut-être fatiguée, mais pas stupide.

— J'ai du mal à te croire.

— Je savais que tu dirais ça, répliqua-t-il, la mine sombre.

Brusquement, Rachel demanda :

— Tu as bien dit *notre* enfant ?

— Oui.

— Tu n'as donc aucun doute sur le fait que tu en es le père ?

— Aucun.

— Tu n'attends pas de faire un test de paternité ?

— Je ne ferai pas de test… Ça te surprend, *pethi mou* ?

— Cela me stupéfie !

— Alors ce que j'ai à te dire risque de t'étonner bien davantage encore, déclara-t-il en la couvant d'un regard indéfinissable. Mais il vaut peut-être mieux attendre demain matin.

— Tu t'en vas ? demanda-t-elle, déçue, en se redressant à demi.

Même si cela allait à l'encontre de son intérêt en mettant son fragile équilibre en danger, elle ne voulait pas qu'il parte. Elle ne supportait plus l'idée de se retrouver toute seule.

Il pencha son grand corps au-dessus du lit et posa ses mains sur ses épaules pour l'obliger à se caler contre les oreillers.

— Détends-toi. Je ne m'en vais pas.

— Mais…

— Je dormirai sur le canapé.

Il était bien trop petit pour lui ! Il attraperait des crampes.

— Tu serais mieux à l'hôtel, suggéra-t-elle en se faisant violence pour dire une chose pareille.

Il secoua la tête.

— Je ne veux plus te perdre des yeux.

— Ne sois pas ridicule. Je serai encore là quand tu reviendras demain matin. Je ne vais pas me volatiliser.

— Toute seule, tu n'es pas en sécurité, Rachel.

Tout en resserrant l'étreinte de ses doigts sur son épaule, il ajouta :

— Tu seras en danger tant que tu ne seras pas sous traitement.

— Le docteur ne peut rien me prescrire. Dans mon état, il m'est impossible de prendre quoi que ce soit.

Ce n'est pas exactement ce qu'avait dit le Dr Pompella, mais tout était devenu si confus dans la tête de Rachel depuis l'annonce de sa grossesse.

— Ce médecin se trompe sûrement. Nous en trouverons un meilleur.

Rachel serra les poings.

— Je ne prendrai rien qui puisse être préjudiciable au bébé !

— Il n'est pas question de ça.

La jeune femme se détendit un peu. La chaleur des mains de Sebastian irradiait tout le haut de son corps. Mais il la lâcha à ce moment-là pour se lever.

— Tu me donnes des draps et des couvertures pour le canapé ?

— Tu ne réussiras pas à fermer l'œil.

Rachel hésitait à lui proposer la solution qui se présentait à son esprit…

— Je refuse absolument de te laisser seule, déclara-t-il sur un ton fermement résolu. Même si je dois coucher par terre.

— Je savais que ton instinct paternel te pousserait à protéger ce bébé, reprit-elle sans réfléchir.

— Tu me faisais donc un peu confiance, malgré tout ?

Elle haussa les épaules.

Elle soupira en considérant le grand lit qu'elle avait acheté pour une bouchée de pain à des voisins qui déménageaient. Il y avait vraiment de la place pour deux.

Quelques mois plus tôt, elle aurait été terrifiée à l'idée de partager son lit avec lui d'une manière platonique. Elle aurait eu bien trop peur de trahir dans son sommeil le désir qu'elle avait de lui, physiquement. Mais après la façon brutale dont il l'avait éconduite, elle n'avait plus rien à craindre. Il ne risquait pas d'interpréter dans le mauvais sens son invitation.

— Tu peux dormir là, si tu veux.

— Et toi ?

Elle lui adressa un sourire contraint.

— C'est un matelas *King size*. Il y a assez de place pour deux. Nous ne nous gênerons même pas.

Interloqué, Sebastian ne répondit pas tout de suite.

— Tu m'invites vraiment à partager ton lit ? demanda-t-il au bout de quelques secondes.

Elle soutint son regard sans broncher.

— Il n'est plus question de relations sexuelles entre nous. Je ne risque rien. Tu ne profiteras pas de la situation.

Blessé dans son orgueil, il protesta :

— Je n'ai pas séduit une femme passive. Nous étions deux, dans cette histoire, si tu te souviens bien…

— Pas tout le temps, Sebastian. A un moment, tu as pris tes distances sans me consulter. Pour décider que je n'étais qu'une réplique vivante de ma mère.

Un pli amer creusa la bouche de Sebastian.

Les yeux rouges de fatigue, Rachel poussa un bâillement.

— Nous reprendrons cette discussion plus tard. Je suis épuisée. Je n'ai pas envie de m'évanouir comme l'autre jour, au travail.

— Tu t'es évanouie ? répéta-t-il, consterné.

Elle se mordit la lèvre, en regrettant aussitôt cet aveu.

— Tu m'avais pourtant dit que tout allait bien, *pethi mou*.

— Ne t'inquiète pas. Ils ne m'auraient pas laissée partir, à l'hôpital, si ce n'était pas le cas.

— A l'hôpital ? s'écria-t-il d'une voix où perçait un mélange de peur et de colère.

Pourquoi n'avait-il rien su ?… Il n'osait pas penser à ce qui aurait pu arriver si elle ne l'avait pas appelé pour lui dire où elle était. Le détective privé qu'il avait engagé aurait bien fini par retrouver les traces de Rachel, mais peut-être pas assez vite pour lui permettre d'intervenir.

— On m'a simplement mise sous surveillance, expliqua-t-elle. Le jour où je me suis évanouie, mes collègues de travail ont cru agir pour le mieux en appelant une ambulance.

Sebastian secoua la tête. Dès le lendemain, ils auraient à parler sérieusement.

— Il est grand temps de dormir, dit-il simplement.

Elle acquiesça en étouffant un bâillement dans sa main, une main qui aurait dû arborer son alliance… Il attendit qu'elle soit couchée avant d'éteindre la lumière et de la rejoindre. La jeune femme s'endormit presque aussitôt et le bruit régulier de sa respiration emplit le silence de la pièce.

Sebastian, quant à lui, était beaucoup trop énervé pour trouver le sommeil. Il avait attendu avec tellement d'anxiété le jour où il la reverrait et partagerait de nouveau son lit ! Et maintenant que le moment était venu, rien ne se passait comme il l'avait imaginé.

Si elle s'était forcée à le rappeler, malgré le peu d'envie qu'elle en avait, c'était uniquement par souci du bébé à naître. Et elle ne l'avait autorisé à coucher dans le même lit que parce qu'elle estimait impossible toute relation sexuelle. Il n'était pas du tout d'accord, mais cela nécessiterait sans doute un certain temps pour l'amener à envisager les choses différemment. Il l'avait profondément meurtrie. Malgré tout, il nourrissait quelque espoir de la reconquérir. La passion qu'elle avait exprimée, avant qu'il ne perde la tête dans cet instant d'égarement, lui laissait penser qu'elle ne pourrait pas rester indifférente à sa présence physique.

S'il ne s'était pas raccroché à cette idée, il aurait complètement désespéré de l'avenir. Sa seule chance de renouer les fils ténus qui s'étaient cassés, c'était d'utiliser les armes du désir charnel. Mais pas tout de suite. Elle était encore trop fragile. Il fallait d'abord qu'elle suive le traitement dont lui avait parlé le médecin qu'elle avait consulté. Dorénavant, il était déterminé à montrer une prudence extrême. Pour ne plus jamais la faire souffrir.

D'aucune manière.

Il saurait être patient et contrôler la violence de ses pulsions. Toutefois, il n'avait pas promis de ne pas la toucher. Si elle croyait possible qu'ils dorment l'un à côté de l'autre comme de parfaits étrangers, pour lui c'était inconcevable. Pas après ces dix semaines de torture à remuer ciel et terre pour finalement la retrouver avec une santé chancelante alors qu'elle était enceinte.

Quand elle fut profondément endormie, il l'attira doucement dans ses bras, et n'arriva à sombrer dans le sommeil que lorsqu'il se sentit un peu rasséréné par la chaleur de son corps.

Pour la deuxième fois de son existence, Sebastian se réveilla à côté de Rachel.

Il s'y sentait bien, parfaitement à sa place. Quel bonheur, de respirer son parfum et de sentir le contact de sa peau douce et soyeuse… Le grand T-shirt qu'elle portait s'était relevé pendant la nuit et ils se retrouvaient tous les deux cuisse contre cuisse. Elle n'avait pas protesté quand Sebastian s'était couché en caleçon.

Elle était sincèrement convaincue qu'ils n'auraient plus jamais de relations sexuelles.

Comme il avait hâte de la faire changer d'avis ! En attendant, s'il ne voulait pas compromettre ses chances de réussite, il ne fallait pas risquer de la heurter. Elle ne manquerait pas de lui en vouloir si elle se réveillait dans cette position, pelotonnée contre lui. Elle l'accuserait de profiter une fois de plus de la situation. Ce reproche, qu'elle avait formulé la veille soir, le tourmentait beaucoup.

Même s'il avait tout gâché le lendemain de leur première nuit, cela n'enlevait rien à la perfection des moments qu'ils avaient vécus ensemble. La passion qui les avait emportés était complètement réciproque. Cependant si Rachel s'était laissé influencer par la suite des événements pour se convaincre du contraire, il avait peu d'espoir qu'elle lui accorde une seconde chance.

Très doucement, pour ne pas la réveiller, il s'écarta et relâcha son étreinte. Puis il se leva, mais sans quitter immédiatement la pièce. Le soleil matinal filtrait à travers les lames du store. Il contempla la jeune femme pendant un long moment. Elle était si belle. Si délicate.

Et elle portait son enfant.

Dieu soit loué pour cette grossesse ! Sans cette véritable béné-diction, elle ne l'aurait certainement jamais recontacté. Combien de temps Hawk aurait-il mis alors pour la retrouver ?

Il s'était adressé à cette agence de renommée internationale dès le jour de son départ. Mais curieusement, le détective n'avait même pas pu identifier le numéro du vol qu'elle avait pris. Il comprenait pourquoi, à présent. Elle voyageait sous un autre nom. *Newman*.

Il aurait dû y penser… Mais même après la discussion qu'il avait eue avec sa mère, cela ne lui avait pas effleuré l'esprit que Rachel ait pu avoir le souhait de se démarquer d'une manière aussi radicale d'Andrea Demakis. Elle s'était pourtant établie à des milliers de kilomètres de cette femme étouffante et ne lui avait pas caché combien elle détestait le tapage médiatique.

Il s'était installé pendant quelque temps dans l'appartement new-yorkais d'Andrea dans l'espoir de découvrir une piste. Il n'avait vraiment pris conscience de la rupture entre la mère et la fille qu'en découvrant que le seul et unique numéro de téléphone de Rachel était hors service depuis deux ans…

A la suite de cette déconvenue, il avait contacté sa mère pour lui demander comment elle avait prévenu Rachel du décès. Philippa avait tout simplement utilisé l'agenda d'Andrea. Mais celui-ci avait disparu maintenant, jeté avec le reste de ses affaires.

Ensuite, Sebastian s'était souvenu que Rachel lui avait parlé d'un e-mail, envoyé par une amie de sa mère. Après avoir passé en revue un bon nombre des relations féminines d'Andrea, Hawk avait fini par trouver l'adresse électronique de la jeune femme.

Mais le message que Sebastian avait envoyé le soir même lui avait été retourné. L'adresse n'était plus valide.

Hawk avait entrepris d'interroger tous les fournisseurs d'accès à Internet quand était survenu le coup de téléphone de Rachel.

Oui, Sebastian se sentait éperdu de reconnaissance envers sa bien-aimée qui était tombée enceinte dès la première fois où ils avaient fait l'amour. Mais il éprouvait en même temps une grande inquiétude au sujet de sa santé. A la seule idée qu'on ne lui avait prescrit aucun traitement depuis les deux semaines que l'incident avait eu lieu, il en avait la rage au ventre.

Rachel se dirigea vers la cuisine, guidée par une odeur appétissante d'œufs au bacon, de toasts grillés et de café.

A la vue d'une grosse salade de fruits frais disposée au milieu de la table, elle s'immobilisa. Mais le spectacle qu'offrait Sebastian, revêtu d'une simple chemise et pieds nus devant la cafetière, l'étonna plus encore.

— Vous avez des talents cachés, monsieur Kouros. Je ne vous aurais jamais imaginé des capacités culinaires !

Il se retourna, deux tasses fumantes dans les mains. Sa chemise ouverte laissait entrevoir la peau bronzée de son torse musclé.

— A vrai dire, je n'en ai pas. Il faut plutôt remercier l'un de mes gardes du corps qui vient juste de repartir.

A en juger par tout ce qui se trouvait sur la table, ce dernier avait dû commencer à faire la cuisine bien avant que Sebastian ne l'appelle pour le petit déjeuner, un quart d'heure plus tôt.

Ils commencèrent à manger en silence. Puis, au bout d'un moment, Rachel demanda :

— Où tes gardes ont-ils dormi la nuit dernière ?

En fait, elle se moquait un peu de le savoir, mais elle tournait autour du pot, n'osant pas poser directement la question qui la taraudait. Elle avait eu l'impression de s'être réveillée pelotonnée contre lui, lovée contre la chaleur de son corps. Elle s'était sentie à l'abri et en sécurité, pour la première fois depuis son départ de Grèce. Mais elle avait peut-être rêvé…

D'ailleurs, il valait peut-être mieux que ce soit un rêve car son instinct la trompait en la poussant à chercher un réconfort dans la présence physique de Sebastian.

— Ils ont pris une chambre dans un hôtel du quartier. Ils n'ont pas eu le choix, répondit Sebastian.

— Je ne veux pas te poser de problèmes.

Il l'étudia avec une attention qui la mit mal à l'aise.

— Tu ne me poses aucun problème. Tu es la mère de mon enfant.

— Tu dis ça avec une telle assurance ! Je suis surprise que tu n'aies pas exigé de test biologique.

— Tu étais vierge, quand je t'ai connue. Le bébé ne peut pas avoir un autre père que moi.

— Tu es vraiment sûr de cela, maintenant ?

— Oui.

— Mais pourquoi, grands dieux ?

Qu'est-ce qui avait changé pour que, subitement, il cesse de la prendre pour une menteuse ?

Sebastian se crispa et carra ses épaules contre le dossier de sa chaise.

— J'aurais dû être plus sensible à la candeur et à l'innocence de tes réactions.

— Au lieu de te polariser sur un détail, l'absence de sang.

Il était tellement archaïque, dans son mode de pensée…

Une émotion intense, presque intolérable, voila le regard gris de Sebastian.

— Tu m'as dit que tu avais été agressée…

— Et toi, tu as cru que j'inventais des histoires pour te prendre au piège, comme ma mère avait joué un personnage pour mettre le grappin sur Matthias.

C'est cela qui lui avait fait le plus de mal. Elle n'avait jamais raconté à personne ce qui lui était arrivé pendant son adolescence. En refusant de la croire, il lui avait infligé une douleur plus cruelle qu'en la bannissant de sa vie.

La mâchoire de Sebastian se contracta.

— Il vaudrait mieux oublier pour toujours les choses horribles que je t'ai dites ce matin-là.

Etait-ce vraiment si facile ? Tout d'un coup, simplement parce qu'elle allait mettre au monde un bébé, il fallait faire comme si tout allait bien entre eux…

Mais ce n'était pas aussi simple.

# 8.

— Cela signifie-t-il que tu me fais entièrement confiance, y compris sur mon passé ?

— Absolument.

Elle n'en croyait pas un seul mot. Comment aurait-il pu changer d'avis aussi radicalement ? Pourquoi accepterait-il aujourd'hui ce qu'il avait si violemment rejeté ?

Elle secoua la tête.

— J'aimerais comprendre pourquoi tu es si sûr que le bébé est de toi.

Elle était persuadée que son revirement découlait de cette conviction.

Il avait l'air sur ses gardes, ce qui piqua plus encore la curiosité de la jeune femme.

— Qu'est-ce qui a changé, Sebastian ? Quand j'ai quitté ton appartement, tu me considérais presque comme une prostituée.

— Jamais de la vie.

— Tu m'as accusée de jouer de mon pouvoir de séduction pour obtenir des avantages financiers. Comment appelle-t-on cela, habituellement ?

— C'était complètement stupide de ma part.

— Explique-moi pourquoi.

Sebastian paraissait de plus en plus embarrassé.

— Ma mère m'a traité d'idiot.

— Tu plaisantes ?

Les mères grecques vouaient à leurs fils une adoration indéfectible et Philippa n'échappait pas à la règle. A ses yeux, Sebastian et Aristide étaient tout simplement des modèles de perfection.

De toute manière, que venait faire ici l'opinion de Philippa ?

— Elle m'a dit que je n'y connaissais rien, que l'absence de sang n'est pas nécessairement la preuve d'une virginité perdue.

Rachel mit quelques secondes à enregistrer la signification de ses propos. Quand elle comprit, elle se leva d'un bond en hurlant :

— Tu as parlé à ta mère de la nuit que nous avons passée ensemble ?

Qu'allait penser Philippa ? La mère et le beau-père de Rachel étaient morts depuis moins de deux semaines. Leur attitude avait dû lui paraître complètement indécente.

Elle aurait d'ailleurs raison d'être choquée. C'était indécent. Il n'y avait pas d'autre mot.

Sebastian la prit par le poignet.

— Assieds-toi, Rachel. Et calme-toi.

Elle se rassit, mais uniquement parce que la tête lui tournait et qu'elle ne voulait rien montrer. Libérant sa main d'un geste brusque, elle le foudroya du regard. Alors qu'elle était d'un naturel très calme, Sebastian avait le don de la mettre en fureur.

— Tu n'as tout de même pas discuté avec ta mère de ce qui s'est passé entre nous ! siffla-t-elle entre ses dents serrées.

Le rouge monta aux joues de Sebastian.

— Si, je me suis confié à elle. Et c'est la première fois que ma mère a parlé librement avec moi de sexualité. J'aimerais d'ailleurs beaucoup que ce soit la dernière.

Si Rachel n'avait pas été aussi en colère, elle aurait éclaté de rire devant son expression. Mais elle fulminait en constatant qu'il croyait sa mère davantage qu'elle-même.

— Philippa pense donc que je t'ai dit la vérité sur ma virginité, et, elle, tu la crois !

— Oui. C'est comme ça, même si ça paraît bizarre.

— Et que pense-t-elle de la suite de ma confession ?

— Je ne lui ai pas tout raconté.

— Pourquoi ? Tu lui as bien révélé notre intimité.

— Pas entièrement.

Il se frotta les yeux, comme s'il était à bout de fatigue. Il n'avait pas dû dormir beaucoup la nuit précédente. Ils ne s'étaient pas couchés avant le petit matin et il s'était réveillé avant elle.

— Je ne suis évidemment pas rentré dans les détails, reprit-il. Tu me crois vraiment aussi indélicat ?

Elle l'avait blessé. Pourtant, elle refusa de battre en retraite.

— Peut-être… Je ne sais pas.

Il fit la grimace.

— Eh bien ! non.

Puis il fit un geste en direction de son assiette.

— Mange ton petit déjeuner. Tu as besoin de prendre des forces.

— Pour le bébé.

Il s'était vraiment jeté tête baissée dans le rôle du futur papa protecteur… Rachel s'interdisait absolument de penser que cet instinct de protection pouvait aussi s'étendre à elle.

Elle avait trop souffert de prendre ce genre de désirs pour des réalités. Il n'était plus question de rêver. De toute manière, maintenant, elle se moquait éperdument de ne pas être aimée de Sebastian.

Laissant son assiette encore à moitié pleine, Sebastian se leva pour la poser dans l'évier. Puis il se retourna et resta debout, immobile, à la contempler en silence. Gênée, Rachel se mit elle aussi à l'observer, pour se donner une contenance. La présence de cet homme viril, beau comme un dieu, dans sa cuisine, la troublait intensément. Elle fut même brusquement submergée par…

Non ! Après ce qu'elle avait enduré, il était impossible qu'elle éprouve du désir pour lui.

Chassant cette idée incongrue de son esprit, elle se remit à manger avec application.

— Quand tu auras fini, je t'emmènerai chez un spécialiste pour ta thyroïde et tes troubles cardiaques, annonça-t-il.

Pour ne pas risquer de trahir son embarras, elle se contenta d'acquiescer, en gardant la tête baissée.

— Pendant ce temps, mon personnel commencera à faire tes bagages. Tu m'indiqueras quels meubles ont pour toi une valeur sentimentale. Je les enverrai en Grèce par bateau.

Elle se redressa avec un violent sursaut.

— Mes bagages ? De quoi parles-tu ? Je n'ai pas l'intention d'aller en Grèce.

Sebastian demeura complètement impassible.

— Rachel, tu as besoin qu'on s'occupe de toi. Je ne peux pas te surveiller à distance, alors que j'habite à des milliers de kilomètres d'ici. Il faut que tu viennes en Grèce.

Quelle arrogance insupportable ! Elle ouvrit la bouche pour protester, mais se ravisa presque aussitôt. Ne lui avait-elle pas téléphoné précisément dans ce but-là ?

Elle voulait que quelqu'un prenne soin du bébé si jamais il lui arrivait malheur. Tant pis si Sebastian jouait son rôle avec trop de superbe et de suffisance…

— Je n'ai pas besoin de vider mon appartement. Je le garde. Je ne serai pas enceinte toute ma vie.

— Peut-être, mais cela va occasionner beaucoup de changements. Ton existence ne sera plus jamais la même.

Même s'il avait raison, cela ne lui donnait pas le droit de lui dicter sa conduite. Elle avait bien le temps de déménager.

— Tant que le bébé ne marchera pas, je me contenterai d'une chambre. Je prendrai le temps de chercher un appartement plus grand par la suite.

— Il n'est pas question que tu vives ailleurs que chez ton mari.

Dans la poitrine de Rachel, les battements de son cœur se précipitèrent dangereusement. Sebastian évoquait leur mariage sur le ton de l'évidence…

— Tu ne m'as même pas demandé si je voulais t'épouser.

— Je ne me soucie pas de savoir ce que tu veux. Ça n'a aucune importance pour le moment. Nous devons offrir un environnement stable et sécurisant à notre bébé.

— Nous n'avons pas besoin de nous marier pour ça.

— Si. C'est le seul moyen de garantir à cet enfant une vie équilibrée, avec ses deux parents. Sinon je risque de me retrouver évincé et privé de la possibilité de l'élever.

— Et moi, je préfère garder mes distances et ne pas me lier à un homme qui doute de ma bonne moralité.

Il croisa les bras avec une expression résolue.

— Ce n'est pas ce que je pense de toi, je te l'ai déjà dit.

— Tu ne m'as pas convaincue. Je ne suis pas stupide au point de croire que tu as complètement révisé ton opinion sur moi. Tu te soucies du bébé, c'est tout.

— Pourquoi m'obliges-tu à me répéter ? J'ai réellement changé d'avis.

— Sur ma virginité, très bien. Et alors ? Cela ne prouve pas que je sois une femme probe et honnête. Qui sait si je ne me suis pas jetée à corps perdu dans cette aventure avec toi pour, justement, tomber enceinte et t'obliger à subvenir à mes besoins matériels pour le restant de mes jours ?

— Je n'ai jamais prétendu cela !

— Mais tu l'as peut-être pensé.

Elle soupira de lassitude.

— Je connais ta loyauté envers le clan familial, reprit-elle. Sous l'influence de ta mère, tu es maintenant convaincu d'avoir été mon premier amant. Tu te sens obligé de protéger et d'élever le bébé que je porte. Même au prix d'un rapprochement avec une femme que tu méprises parce que tu la soupçonnes de fausseté.

— Tu ne me fais vraiment pas confiance.

« Quelle découverte ! » songea-t-elle avec ironie.

— J'irai même plus loin, ajouta-t-elle. N'as-tu pas envisagé la possibilité que j'aie couché avec un autre homme depuis bientôt trois mois que j'ai quitté la Grèce ? Après tout, il ne manque pas de beaux surfeurs célibataires en Californie.

Un éclair de fureur brilla dans les yeux de Sebastian.

— Je t'interdis de coucher avec un autre homme.

— Mais qui te dit que ce n'est pas déjà arrivé ?

— Tu as été victime d'une agression. Tu avais peur des relations intimes. Même si tu as réussi à dominer cette phobie avec moi, cela n'aurait pas été possible avec un autre.

— Cette fois, tu as vraiment tout compris, Sebastian. Malheureusement, c'est moi qui suis sceptique, maintenant.

Elle ne commettrait plus l'erreur de lui faire confiance aveuglément.

Il l'avait blessée si cruellement que quelque chose, dans son cœur, était mort.

La main de Sebastian s'abattit sur la table avec colère et impatience.

— Je ne te considère pas comme une fille facile. Je sais qu'il n'y a jamais eu d'autre homme que moi dans ta vie. C'est moi qui avais de l'expérience. C'était à moi à penser à une protection.

Il en disait un peu plus long et Rachel comprenait mieux

ce qui le motivait… Il s'attribuait la responsabilité de cette grossesse non planifiée.

Mais elle était trop honnête pour l'incriminer.

— Tu n'es pas seul en cause. Mon manque d'expérience n'excuse pas mon insouciance. Je n'y ai pas pensé non plus.

— Moi en tout cas, j'avais l'esprit à bien autre chose.

Elle ne chercha pas à s'appesantir sur le sens de ses paroles.

— Eh bien, nous partageons la responsabilité de la situation tous les deux. Tu n'es pas obligé de t'imposer un ultime sacrifice en m'épousant.

— Ne nous épuisons pas en vaines discussions. Cela ne nous mènera à rien. De toute manière, tu finiras par te marier avec moi. Plus tôt tu l'accepteras, mieux ça vaudra pour tout le monde.

— Tu le crois vraiment ?

— Oui. Tu es trop intelligente et tu as trop conscience des enjeux pour refuser.

Une fois de plus, le ton supérieur de Sebastian alluma en elle une vive colère. Il parlait comme si elle ne pouvait rien espérer de mieux que se marier avec lui. Pour qui se prenait-il ?

— Je ne sais pas si j'en retirerai des avantages, déclara-t-elle.

— Je mettrai la villa à ton nom et je verserai sur ton compte en banque une somme d'argent qui te garantira une vie confortable jusqu'à la fin de tes jours.

— Tu veux acheter mon bébé ?

Il fit le tour de la table et l'obligea à se lever pour lui faire face.

— Je n'achète personne. Ni toi ni *notre* bébé. Je prends simplement soin de toi. C'est compris ?

Il paraissait hors de lui. Jamais encore elle ne l'avait vu perdre son sang-froid. Pas même sur la plage, la fois où il avait essayé de la convaincre de rester en Grèce. Il tremblait littéralement de fureur. Impressionnée, la bouche sèche, elle fut incapable de rien répliquer.

Il finit par la lâcher et recula d'un pas.

— Nous reprendrons cette discussion plus tard. Pour le moment tu as rendez-vous chez le médecin.


En fait elle avait trois rendez-vous chez trois spécialistes différents, et Sebastian insista pour être présent à chaque consultation.

L'endocrinologue expliqua que les signes d'hyperthyroïdie commençaient seulement à se manifester. Il suffirait d'un traitement léger pour rééquilibrer les dosages hormonaux, sans aucun danger pour le bébé. D'après le cardiologue, les médicaments prescrits par son confrère convenaient également pour prévenir l'inflammation fibrillaire du muscle cardiaque. Quant au gynécologue, il l'assura que tout rentrerait vite dans l'ordre avec les bêtabloquants ; elle pourrait bientôt reprendre une vie sexuelle normale sans danger, ni pour son cœur ni pour le bébé.

Rachel, qui n'avait pas particulièrement apprécié l'audace avec laquelle Sebastian avait réclamé cette dernière information, ne se gêna pas pour le lui dire quand ils regagnèrent la limousine garée devant la somptueuse clinique privée.

— La question était pourtant nécessaire, déclara-t-il très calmement.

— Ah bon ? Je ne vois vraiment pas pourquoi.

Elle le défiait, le regard agressif.

— Nous allons nous marier, ne l'oublie pas.

— Tu es incroyable !

Il lui adressa un sourire carnassier.

— Merci.

Elle poussa une exclamation de colère et il soupira.

— Il faut voir les choses en face, Rachel. Entre nous, un mariage platonique ne marcherait pas.

— Premièrement, je n'ai jamais accepté de t'épouser. Deuxièmement, si je disais oui, ce serait uniquement à la condition de faire chambre à part.

— Il n'en est pas question !

Il n'ajouta rien. Ni argument ni justification d'aucune sorte. Comment pouvait-il être arrogant à ce point ? Il ne doutait pas de lui imposer sa volonté. Mais croyait-il vraiment qu'elle l'autoriserait à la toucher, après la manière dont il l'avait traitée ? Elle n'était tout de même pas masochiste.

— Il n'y aura plus jamais rien de sexuel entre nous, Sebastian, déclara-t-elle.

— Vraiment ?

Ils étaient maintenant confortablement installés à l'intérieur de la limousine et la proximité physique de Sebastian planait sur elle comme un danger.

— Vraiment, répondit-elle d'une voix qu'elle voulait résolue mais dans laquelle perçait une hésitation embarrassante.

— Je demande à voir.

— Comment ? Non…

Sebastian étouffa ses protestations en posant ses lèvres sur les siennes, très doucement, avec une sorte de tendresse contre laquelle il était bien difficile de lutter.

Le corps de Rachel, inerte et insensible depuis des semaines, sortit brusquement de son engourdissement et se raviva comme une braise sous l'effet du vent. Des milliers d'impulsions électriques coururent le long de ses circuits nerveux, envoyant des signaux de plaisir à son cerveau qui devint vite saturé.

Elle qui avait cru se détacher de lui comprit qu'en réalité tout son être le réclamait. Lui seul était capable d'éveiller ces sensations si délicieuses…

Comme s'il lisait dans ses pensées, il prit son visage entre ses mains et se mit à caresser sensuellement la ligne de sa mâchoire avec ses pouces. Incapable de résister très longtemps à son invitation, Rachel entrouvrit les lèvres pour lui offrir sa bouche. Leur baiser se fit plus profond, plus intime. La jeune femme se surprenait à réagir avec une impudeur qui la consternait. Elle ne pouvait lutter, comme si un lien primitif, terriblement puissant, la rattachait à Sebastian de toute éternité et que rien ni personne ne pourrait jamais rompre. Peu importaient les blessures qu'il lui avait infligées. La force de l'attraction qui les poussait l'un vers l'autre défiait les lois de la logique et de la raison.

— J'adore le goût de tes baisers, murmura-t-il contre ses lèvres.

Elle ne protesta pas quand il l'attira contre lui. Au contraire, elle s'abandonna entre ses bras. Il était son point d'ancrage dans la tempête qui l'emportait et qui menaçait de se transformer en ouragan.

Il caressa lentement les courbes de sa féminité, puis posa les mains sur ses seins palpitants. Leurs pointes érigées perçaient sous la soie de son soutien-gorge, révélant l'intensité de son désir. Rachel se tordit et s'arc-bouta contre lui. Un gémissement s'échappa de sa gorge quand il commença à déboutonner son chemisier.

Bientôt, la bouche de Sebastian entama une exploration qui lui arracha des petits cris plaintifs. Puis, tout à coup, les battements de son cœur s'emballèrent et sa respiration s'accéléra.

Elle s'écarta brusquement, effrayée.

— Sebastian, arrête. J'ai trop de mal à r…

— Qu'y a-t-il ? demanda-t-il en redressant la tête.

— Mon cœur…

Furieux contre lui-même, il réprima un juron.

— Je suis complètement inconscient ! maugréa-t-il, affolé. Rachel, *agape mou*, parle-moi, je t'en prie ! Tout va bien ?

La sensation d'étouffement se calma aussi brusquement qu'elle était venue et Rachel hocha la tête.

Un bras passé autour de ses épaules, il se pencha en avant pour appuyer sur le bouton de l'Interphone et donna quelques ordres en grec à son chauffeur. Puis, s'appuyant de nouveau contre le dossier de la banquette arrière, il installa confortablement Rachel contre lui.

— Ce n'était pas le moment de t'embrasser. Il est encore trop tôt, déclara-t-il avec remords. Tu n'as même pas commencé ton traitement. Je suis désolé.

— Ce n'est pas une question de moment. Tu n'as pas à m'embrasser, c'est tout, répliqua Rachel.

Mais elle n'était pas très convaincante, ainsi blottie contre lui, avec ses doigts qui s'agrippaient à sa chemise.

— Tu es ma femme. J'ai parfaitement le droit de t'embrasser. Sauf si ton état de santé m'impose des restrictions. Là, je dois faire attention.

Rachel se redressa pour étudier son expression impassible.

— Je suis peut-être la mère de ton enfant, mais je ne suis pas ta femme.

— Tu oses dire une chose pareille alors qu'il y a quelques minutes à peine tu brûlais de plaisir entre mes bras !

— Oui.

A court d'arguments, elle laissa retomber sa tête au creux de son épaule.

Même si son cœur s'était calmé, la sensation de faiblesse ne passait pas et elle avait encore un pouls beaucoup trop rapide.

Quelques minutes plus tard, ils étaient de retour chez le cardiologue. Là, Sebastian ne mâcha pas ses mots pour reprocher au spécialiste d'avoir laissé partir sa patiente sans lui donner au moins une dose des médicaments qu'il lui avait prescrits. Le médecin, pourtant une sommité internationale, bredouilla une excuse avant de s'exécuter et Rachel avala son premier cachet de bêtabloquant.

Par sécurité, Sebastian insista pour qu'on la garde à la clinique en observation pendant une nuit. Il n'était pas question de lui faire prendre l'avion si son état de santé ne le permettait pas.

— Désolé, *yineka mou*. Il est de mon devoir de veiller sur toi. Même si tu sembles toujours la même en apparence, solide et entêtée, tu es en réalité extrêmement fragile.

Elle appuya sur le bouton de commande électrique pour redresser le haut de son lit. Malgré quelques résistances, elle s'était finalement rendue aux injonctions de Sebastian. Elle commençait seulement à prendre conscience des innombrables conséquences de son coup de téléphone... Tout ce qu'il faisait pour elle ne tarderait pas à lui peser car elle se sentirait forcément redevable. Et cette idée ne lui plaisait guère...

— Tout va bien, le rassura-t-elle. Tu as entendu le docteur. Il ne s'agit que d'une petite alerte. Il n'y a rien à redouter de plus grave pour l'instant. Ni syncope ni crise cardiaque.

Sebastian avait blêmi. Avait-elle besoin d'utiliser des mots aussi précis ? Ses yeux gris s'étaient assombris. Il paraissait extrêmement soucieux.

— Je suis désolé, répéta-t-il.

En proie à des émotions contradictoires, Rachel le contempla un long moment sans rien dire.

En d'autres circonstances, que cet homme fier et arrogant se confonde en excuses l'aurait amusée. Mais elle se sentait partagée entre l'exaspération et la culpabilité. Il n'avait pas le droit de l'embrasser, et elle-même n'aurait pas dû y prendre autant de plaisir...

— Ne te fais pas de reproches, dit-elle enfin. Le jour où on m'a emmenée en ambulance à l'hôpital, il ne s'était rien passé de spécial. Je n'avais fourni aucun effort, subi aucune émotion.

Je me suis évanouie alors que j'étais tranquillement assise à mon bureau.

Il continua à la regarder d'un air hébété, comme s'il ne comprenait pas le sens de ses paroles.

— Ce n'est pas ta faute, reprit-elle comme si elle devait expliquer quelque chose de difficile à un enfant. Ce genre de crise peut arriver n'importe quand.

— Si, c'est ma faute, insista-t-il avec obstination.

Il n'y avait vraiment pas moyen de le raisonner.

— D'après le docteur, une fois que les bêtabloquants commenceront à agir, je n'aurai plus rien à craindre. Même si nous faisons l'amour, lui rappela Rachel en s'empourprant violemment.

Ce dernier argument eut raison des inquiétudes de Sebastian, dont le visage s'illumina aussitôt d'un sourire, comme par enchantement.

— Je suis ravi que tu acceptes enfin l'idée de partager mon lit.

— Pas du tout, protesta-t-elle aussitôt, furieuse d'avoir dû prononcer ces mots-là pour le rassurer.

— Alors pourquoi évoquer cette hypothèse ?

— Pour te débarrasser de ton sentiment de culpabilité, expliqua-t-elle, exaspérée.

— Pourquoi te soucies-tu de mon confort moral, si tu me détestes ?

— Je ne te déteste pas.

Comme il se rengorgeait, elle ajouta :

— Je ne te fais pas confiance, ce qui n'est pas la même chose.

— Mais tu me fais assez confiance pour que je m'occupe de toi et du bébé.

— Pas en tant qu'amant.

— Que suis-je, alors ?

— Cesse de pinailler sur les mots. Je ne coucherai plus jamais dans ton lit.

— Ça n'a pas d'importance. Nous pouvons très bien faire l'amour sur le canapé, comme la première fois. Ecoute-moi bien, Rachel. Nous referons l'amour, tous les deux. C'est inévitable.

Elle lui lança un regard meurtrier.

— Tu te trompes. Cela ne se reproduira pas. Plus jamais.

A en juger par son sourire tranquille, il était certain du contraire et elle aurait voulu être un peu plus convaincue qu'il avait tort.


Sebastian la persuada de rester cinq jours à la clinique, le temps que sa tension redevienne tout à fait normale. Il dut d'ailleurs dépenser une fortune pour sa santé, car le cardiologue et deux infirmières les accompagnèrent jusqu'en Grèce dans son jet privé. Lorsqu'ils arrivèrent à Athènes, après un voyage sans incident, Rachel subit un petit examen médical, puis fut déclarée apte à poursuivre le voyage en hélicoptère jusqu'à leur destination finale, la petite île sur laquelle se trouvait la villa.

Avant d'être autorisé à repartir, le cardiologue dut s'entretenir longuement avec le médecin qui prendrait le relais. Ce dernier serait logé à la villa. Sur les ordres de Sebastian, le dispensaire de l'île était maintenant doté des équipements médicaux les plus modernes pour parer à toutes les urgences. C'est là que Rachel accoucherait.

La jeune femme n'était pas au bout de ses surprises…

Trois jours après son retour, elle fut réveillée par un petit orchestre qui jouait une aubade sous la fenêtre de sa chambre. Encore sous le coup de l'étonnement, elle entendit frapper à sa porte et Philippa, qui avait dû arriver dans la nuit, entra avec un sourire radieux. Tout en ouvrant les doubles rideaux, elle s'écria :

— Quelle belle journée pour un mariage !

Presque aussitôt, sans laisser à Rachel le temps de digérer l'information, deux domestiques arrivèrent avec des mètres et des mètres de satin blanc sur les bras. Une troisième suivait avec une boîte à chaussures et un bouquet de fleurs d'oranger.

Rachel se dressa sur son séant et fit ce qu'aurait fait à sa place n'importe quelle femme sensée dans la même situation. Elle bondit hors du lit et appela Sebastian en hurlant, devant l'expression médusée de Philippa et des femmes de chambre, qui restèrent clouées sur place de stupeur.

— Sebastian Kouros ! cria-t-elle en courant pieds nus sur les dalles du couloir.

Comme il n'était pas à l'étage, elle descendit en trombe au rez-de-chaussée et fit irruption dans son bureau, rouge de colère.

— Comment oses-tu organiser un mariage sans même m'avertir ? lança-t-elle en pointant sur lui un index accusateur. Ta mère doit croire que sa future belle-fille a sombré dans la folie ! Et elle va être bien désolée d'apprendre que ce mariage n'aura pas lieu.

Sebastian demeura immobile, sans répondre, à la dévorer des yeux. Horriblement embarrassée tout à coup, ne sachant quelle contenance prendre, Rachel se sentit rougir jusqu'à la racine des cheveux.

— Arrête.

— Quoi donc ? lança-t-il avec une nonchalance très masculine.

— De me regarder comme ça.

— Mais tu es très belle.

Avec ses cheveux en bataille et ce vieux T-shirt qu'elle lui avait emprunté un jour au bord de la piscine ? En plus, il se moquait d'elle !

— Je te prie de cesser.

— Je ne fais rien de mal.

— Tu me regardes comme si je t'appartenais, comme si tu…

Elle s'interrompit. La lueur de désir qui brillait dans les yeux de Sebastian la troublait.

— C'est la vérité, répondit-il. Tu m'appartiens et je te désire comme je n'ai encore jamais désiré aucune autre femme.

— Sebastian !

— Calme-toi. Ce n'est pas bon de t'énerver, ni pour toi ni pour le bébé.

— Alors arrête de gouverner ma vie en m'imposant tes volontés.

Il posa les mains sur ses épaules.

— Je ne cherche pas à gouverner ta vie, seulement à la partager.

Elle éclata d'un rire hystérique.

— Tu veux surtout partager mon bébé.

Il la prit fermement par la taille et se pencha jusqu'à ce que son visage ne soit plus qu'à quelques centimètres du sien.

— Que les choses soient bien claires entre nous, Rachel. Nous sommes tous les deux les parents de ce bébé et je suis obligé de vivre avec toi si je veux jouer mon rôle de père. Préférerais-tu me confier cet enfant un week-end sur deux et la moitié des vacances ? Ce serait une bonne piste, si tu cherches à te venger de moi. Certes, tu as le pouvoir de me priver de mes prérogatives de père. Mais je ne serai pas le seul à souffrir. Notre enfant aussi en pâtira.

— Je ne veux pas me venger, répondit-elle, déconcertée.

— Alors épouse-moi.

— Nous ne sommes pas obligés de nous marier pour que tu joues ton rôle de père.

— Pour que l'enfant porte mon nom, si.

Elle n'avait pas envisagé cet aspect de la question…

Sebastian la lâcha, avec une expression qu'elle n'avait encore jamais lue sur ses traits. Il avait l'air vaincu, découragé.

— Alors tu refuses de te marier avec moi, murmura-t-il.

Il semblait prêt à accepter sa décision et à la laisser tranquille.

Seulement elle n'arrivait pas à répondre oui, à prononcer ce simple petit mot.

Après leur rupture, des semaines durant, elle s'était protégée derrière une carapace, une sorte d'armure qui la rendait insensible et invulnérable. Mais l'annonce de sa grossesse ainsi que le brusque retour de Sebastian dans sa vie avaient désintégré ce rempart défensif. En l'obligeant à voir la situation en face, Sebastian la mettait au pied du mur.

Et elle était bien obligée de prendre conscience que les sentiments qu'elle avait éprouvés pour lui n'étaient pas morts. Elle l'aimait encore.

Malgré elle, certes… En tout cas, si les horreurs que Sebastian lui avait dites après leur première nuit ensemble n'avaient pas détruit son amour, rien ne le détruirait jamais… A présent, elle avait le choix entre passer le reste de son existence sans lui ou vivre à ses côtés, tout en sachant que lui ne l'aimait pas. Quel dilemme épouvantable…

Même s'il l'avait mal traitée ce jour-là, c'était bien la seule fois. Avant la mort d'Andrea, et aussi depuis son arrivée en Californie, il s'était toujours montré gentil et attentionné. Peut-être même trop depuis qu'il savait qu'elle était enceinte…

Tout de même, il exagérait. Organiser leur mariage sans même l'avertir !

— Je n'apprécie pas qu'on dispose de moi sans me consulter, déclara-t-elle enfin avec humeur.

— Sinon tu accepterais l'idée de te marier ?

— Je ne sais pas. Il faut que j'y réfléchisse.

Une étincelle d'espoir se ralluma dans les yeux de Sebastian. La vulnérabilité qu'il venait de montrer avait réussi à attendrir Rachel, plus que tout ce qu'il avait fait depuis qu'il l'avait rejointe en Californie.

— Très bien, conclut-il. J'attendrai. Mais à partir de maintenant, je te considère comme ma fiancée.

# 9.

Rachel retourna dans sa chambre en proie à une confusion intense.

Philippa se tenait debout, devant la fenêtre. Sur le lit, les domestiques avaient soigneusement arrangé la robe de mariée, avec les chaussures et le bouquet. Tout avait l'air en suspens et Rachel éprouva un regain d'hostilité envers Sebastian. Comment osait-il l'abandonner dans des circonstances pareilles ? Alors qu'il fallait annoncer à sa mère l'annulation de la cérémonie ?

— La musique s'est arrêtée, observa songeusement Philippa en se retournant.

— C'était une erreur.

— Il est dans la tradition grecque de donner une aubade à la mariée le matin de ses noces.

— Il n'y aura pas de mariage.

Les yeux de Philippa s'agrandirent d'étonnement.

— Vous vous êtes disputée avec Sebastian ?

Comment Sebastian pouvait-il la laisser seule dans un moment pareil ?

— Je crains que nous ne nous soyons jamais réconciliés, articula-t-elle lentement.

— Je suis désolée de l'apprendre. J'avais espéré qu'avec un bébé en route, vous trouveriez un terrain d'entente.

Philippa était donc au courant.

— Votre fils parle trop.

Un sourire surpris se dessina sur les lèvres de Philippa.

— Ce n'est pourtant pas son habitude. Mais avec vous, il est si désorienté et désemparé qu'il en devient méconnaissable.

Sebastian, désorienté ? Cela paraissait très improbable.

— Votre fils est trop compliqué pour moi.

— Allons, vous n'en pensez pas un mot. Je suis sûre que vous avez envie de partager son existence, au contraire.

— Je préférerais une vie plus calme, moins luxueuse.

— Il n'a pas l'habitude de rencontrer des femmes aussi désintéressées que vous. Ses anciennes petites amies ne possédaient ni votre fraîcheur ni votre intégrité.

— Il ne me croit pas honnête.

Philippa secoua la tête.

— Je pense que vous vous trompez, ma chère.

— Il est convaincu que je lui ai menti au sujet de… quand je…

Rachel s'interrompit par timidité, mais Philippa savait de quoi elle parlait.

— Il regrette d'avoir mis votre parole en doute.

— Uniquement grâce à vous.

— Il devait être très malheureux pour aborder ce sujet avec moi, observa Philippa un peu tristement.

— Peut-être.

Rachel s'approcha du lit pour passer la main sur les plis satinés de la robe. Sebastian n'avait pas reculé devant la dépense. Cette toilette somptueuse, rebrodée de perles et de dentelle, sortait manifestement d'un atelier de haute couture.

— Sebastian a déjà été fiancé une fois.

Choquée par cette révélation, Rachel sursauta.

— Ah bon ?

— Oui. A une femme qui ressemblait beaucoup à Andrea.

Une nausée souleva l'estomac de Rachel. Quand donc l'image de sa mère cesserait-elle de la poursuivre ?

Philippa s'approcha pour poser une main sur son bras.

— Vous n'avez hérité que de ses qualités, mon enfant. Je ne vois en vous aucune de ses faiblesses.

— Sebastian ne partage pas votre avis.

Et il avait peut-être raison, après tout. Elle n'arrivait même pas à dominer la force de son désir physique alors qu'elle avait toutes les raisons de le mépriser…

— Ne dites pas de sottises. Il a simplement beaucoup de mal à accorder de nouveau sa confiance à une femme. Il a beaucoup souffert, le jour où il a appris que sa fiancée le trompait. Ensuite, Andrea a occupé le devant de la scène et totalement détruit l'homme que Sebastian aimait comme son propre père. Je n'excuse pas le cynisme de mon fils, mais je le comprends un peu.

— Il a eu d'autres exemples sous les yeux. Vous êtes douce, équilibrée, honnête.

— Oui… Malheureusement, il était très jeune quand son père est mort et il n'a pas beaucoup de souvenirs du couple que nous formions… Il sait seulement que je suis issue d'une famille très modeste et que j'ai épousé un homme de vingt ans mon aîné, assez riche pour acheter le village entier dans lequel je vivais.

— Croit-il que vous vous êtes mariée par intérêt ?

— J'espère que non, mais je n'en suis pas sûre. Il ne nous a pas vus assez longtemps ensemble. De plus, mon mari n'était pas très expansif. Il manifestait très peu ses sentiments et passait énormément de temps à travailler. A cause de la différence d'âge, nous n'avions pas beaucoup de loisirs en commun.

— Pourtant vous l'aimiez.

— Tout comme vous aimez mon fils en dépit de ce qui vous sépare.

Elle allait beaucoup trop loin... Rachel refusa de répondre.

Philippa soupira devant son silence.

— Malgré tous les préjugés que mon fils nourrit à l'égard des femmes, il vous place à part. Il s'est toujours montré soucieux de votre bien-être, prévenant...

— Jusqu'à la mort de Matthias et d'Andrea. C'est à ce moment-là qu'il a commencé à me détester.

Avec un serrement de cœur, elle se souvint de ses réflexions, le jour de la lecture du testament.

— C'est comme s'il avait reporté sur moi la haine qu'il éprouvait pour ma mère, expliqua-t-elle d'une voix tremblante.

— Il a été très affecté par la disparition de son grand-oncle. Il est comme beaucoup d'hommes. Il ne sait pas exprimer ses sentiments. Vous avez servi d'exutoire à sa souffrance et je m'en suis aperçue trop tard.

— Ce n'est pas de votre faute.

Mais Philippa garda une expression coupable.

— Je n'aurais pas dû repartir si vite. Mais j'espérais que mon rêve secret se réaliserait, en vous laissant seuls tous les deux.

— Vous avez quitté l'île avec cette idée derrière la tête ?

Rachel aurait dû s'en douter. Mais elle était trop absorbée par son propre deuil pour s'en rendre compte. De plus, rien ne plaidait en sa faveur aux yeux des Demakis et des Kouros, après le passage d'Andrea dans leur famille.

— Malheureusement, rien ne s'est passé comme je l'espérais, articula Philippa d'une petite voix triste.

— Je suis désolée, répliqua Rachel.

Elle aimait beaucoup Philippa, dont elle appréciait la gentillesse et la discrétion.

— Non, c'est moi qui suis désolée, reprit la mère de Sebastian. Après les obsèques, mon fils était trop bouleversé pour rester maître de ses réactions. J'aurais dû le remarquer. Je suis sa mère.

Mais j'ai ignoré le signal d'alarme parce que je ne voyais pas d'autre moyen de faciliter votre rapprochement. Si vous repartiez aux Etats-Unis, je savais que vous ne remettriez jamais les pieds en Grèce. Il était clair depuis longtemps que vous vouliez rompre avec le passé. J'ai commis une grave erreur de jugement. Et maintenant, à cause de moi, vous ne voulez même plus vous marier avec Sebastian.

Rachel s'efforça de la rassurer.

— Vous n'êtes pas en cause. Si je refuse d'épouser Sebastian, c'est parce qu'il a tout organisé lui-même, sans me consulter. Même pas sur le choix de la robe.

Philippa passa le dos de la main sur l'étoffe soyeuse et brillante.

— Elle est très belle.

— La question n'est pas là.

— Il ne vous a rien demandé ?

— Il me l'a annoncé, ce qui est différent. Et la date n'était même pas fixée.

Philippa enfouit son visage dans les fleurs du bouquet.

— Bien des femmes trouveraient cela très romantique.

— En se sachant aimées, peut-être. Pour moi, c'est de l'arrogance. Pure et simple.

Pour la première fois depuis le début de leur entretien, Philippa fronça les sourcils d'un air désapprobateur.

— En somme, vous vous punissez parce qu'il est trop déterminé et autoritaire ?

— Nous sommes fiancés.

Les mots étaient sortis tout seuls, sans qu'elle réfléchisse. Sans doute parce qu'elle ne supportait pas la déception de cette femme qu'elle admirait.

Instantanément, le visage de Philippa s'éclaira.

— Voilà qui est bien. Il aurait dû commencer par là.

Oui... Mais un homme contraint d'épouser une femme

parce qu'elle était enceinte ne pensait pas nécessairement aux fiançailles.

Sebastian faillit d'ailleurs tout compromettre encore une fois cet après-midi-là. Il avait convoqué son notaire et son comptable pour régler les affaires en suspens et signer différents actes officiels.

Mais la réaction de Rachel fut totalement imprévisible.

— Je ne veux pas de ta villa, et ton argent ne m'intéresse pas non plus ! déclara-t-elle furieusement en repoussant les papiers posés sur le bureau.

« Quelle mouche la pique ? » se demanda Sebastian, interloqué.

— Je ne fais que réparer une injustice, expliqua-t-il. Tu as droit à une plus grosse part d'héritage que ce que tu as obtenu.

— Matthias n'était pas mon père. Seulement le mari de ma mère. Il ne me devait rien.

— Je suis le père de ton enfant. Tu ne peux pas prétendre que je ne te dois rien.

Mais elle soutint sans fléchir le regard de défi qu'il lui lançait.

— Tu ne me dois absolument rien.

— Ce n'est pas vrai.

Elle se leva brusquement et se mit à arpenter la pièce. Puis elle s'immobilisa devant une étagère sur laquelle étaient disposées des photos de famille. Toutes celles où figurait Andrea avaient été enlevées. Un instant, Sebastian se demanda s'il n'aurait pas dû au moins en laisser une.

Le dos tourné, très raide, avec ses cheveux relevés en un chignon qui dégageait son cou gracile, elle déclara avec fermeté :

— Je ne suis pas comme ma mère. Quand vas-tu enfin t'en rendre compte ?

126

Résistant à l'envie de déposer un baiser sur sa nuque, il répondit :

— Je n'ai jamais prétendu une chose pareille.

Ignorant les deux hommes qui se trouvaient avec eux dans le bureau, elle se retourna vivement en explosant de colère.

— Dans ce cas, pourquoi me donnes-tu la maison ? Tu n'as pas à acheter tes droits à la paternité. Jamais je ne ferai subir à notre bébé ce que j'ai subi moi-même.

Derrière sa fureur perçait autre chose. Une vulnérabilité qu'il ne souhaitait pas exposer devant des témoins. Sebastian renvoya le notaire et le comptable, ainsi que le garde du corps en faction devant la porte. Il voulait rester seul avec Rachel, sans qu'on les dérange.

— *Ce que j'ai subi moi-même ?* Que veux-tu dire par là ?

Une expression tourmentée déforma le visage de Rachel, tandis qu'elle se mordait les lèvres jusqu'au sang.

— Ma mère m'a enlevée à mon père quand j'avais cinq ans. Je ne l'ai plus jamais revu et, quand j'ai grandi, elle a toujours refusé de me dire qui il était pour m'empêcher de le retrouver.

Quelle garce !

— Et ton acte de naissance ?

— Je ne l'ai jamais eu entre les mains. Je ne sais pas où il est et elle ne m'a jamais dit où j'étais née.

— Tu pourrais t'adresser à un détective privé.

Elle émit un rire amer et désabusé.

— Ce genre d'enquêtes coûtent des fortunes. Je ne suis pas aussi riche que toi, Sebastian.

— Mais tu as envie de le connaître ?

—Oui. J'ai un bon souvenir de lui. Je crois qu'il m'aimait.

Les mots s'enfoncèrent comme un poignard dans la chair de Sebastian. Tout le mal qu'Andrea avait fait à sa famille n'était rien en comparaison de ce qu'elle avait fait subir à sa propre fille. Cette femme, d'un égoïsme inouï, n'avait vraiment aimé qu'elle-même.

— Il aurait pu essayer de retrouver ta trace, lui.

Encore une phrase de trop, qu'il n'avait pas pu retenir…

— Andrea s'est arrangée pour lui rendre la tâche impossible. Je me souviens que je l'ai longtemps attendu avec ferveur, quand j'étais une petite fille. J'étais certaine qu'il ne m'oublierait pas, qu'il reviendrait me chercher. J'avais une grande confiance en lui.

Sebastian résolut à ce moment-là de retrouver cet homme. Par la suite, il déciderait s'il était opportun de le présenter ou non à Rachel.

— Je comprends mieux pourquoi tu chéris tant ton indépendance, observa-t-il. Andrea t'a appris à ne compter que sur toi-même.

— Je n'ai pas eu le choix…

Rachel croisa les bras sur sa poitrine, comme pour se protéger. Comme elle avait dû souffrir, pour se méfier des autres à ce point ! Et il avait lui-même sa part de responsabilité.

— Tu devais être très inquiète, alors, pour te décider à réclamer mon aide, reprit-il.

— Oui.

Le cœur de Sebastian se serra. Elle avait pourtant de bonnes raisons de le haïr, après avoir été rejetée si violemment… Réussirait-il jamais à réparer ses torts ?

— Si tu n'étais pas tombée malade, aurais-je appris un jour l'existence de notre enfant ?

— Je t'aurais annoncé sa naissance. Pour moi, il n'était pas question de le priver de son père.

Mais elle n'aurait agi que par devoir, alors que Sebastian désirait bien autre chose, l'impossible peut-être… Comme elle était belle ! Il avait l'impression de se consumer de désir.

— Mais tu serais restée seule tout le temps de ta grossesse ?

Tu n'avais pas assez confiance en moi pour supporter ma présence à tes côtés.

Elle n'avait pas besoin de parler. Il lisait la vérité dans ses grands yeux verts. Si elle avait eu le choix, elle aurait refusé tout contact avec lui, même en l'autorisant à voir son enfant. C'est son état de santé qui avait fait la différence. Il en était peiné et presque soulagé en même temps.

— Je ne suis plus seule, maintenant, remarqua-t-elle, comme pour le réconforter.

Mais il était inconsolable. Elle avait d'abord refusé de l'épouser et maintenant, elle méprisait ce qu'il lui offrait.

— Et tu es à l'abri, matériellement, si tu veux bien accepter les dispositions que j'ai prises pour toi.

— Je ne suis pas tombée enceinte pour t'extorquer des biens ou de l'argent.

— Je n'ai jamais pensé une chose pareille.

Elle ne répondit rien et il soupira. Ne voyait-elle pas qu'il avait changé ?

Il passa une main fatiguée sur sa nuque en cherchant ses mots. Il avait vraiment beaucoup de mal à exprimer ce qu'il ressentait.

— Lorsque tu referas l'amour avec moi, c'est parce que tu l'auras décidé.

— Pardon ?

— Tu n'es pas obligée de te marier avec moi. Je veux que tu te sentes complètement libre. Je ne t'imposerai pas de relations physiques, si tu n'en as pas envie. Je veux que tu aies le choix.

Il y allait de son amour-propre.

Mais ses tentatives pour éclaircir la situation tombèrent complètement à plat. Rachel sembla même encore plus vexée après sa déclaration.

— Je n'ai jamais eu l'idée d'utiliser mon corps comme

monnaie d'échange, même si j'ai besoin de sécurité matérielle, comme tout le monde.

Pourquoi s'obstinait-elle à ne rien comprendre ?

— La question ne se posera plus pour toi si tu es indépendante financièrement.

— Je ne veux rien.

— Ton entêtement est stupide et ridicule.

— Et toi, tu ne réussiras pas à m'acheter.

Comment lui démontrer qu'il recherchait précisément le contraire ? Il fut impossible de la convaincre. Dix minutes plus tard, elle sortait de la pièce sans avoir signé les papiers, et en refusant même le chéquier qu'il avait commandé en ouvrant un compte en banque à son nom.

Leurs relations ne s'amélioraient pas.


Rachel se glissa sous la petite véranda attenante à la cuisine et s'installa près de la fenêtre, dans un fauteuil en osier. La pièce était très peu utilisée et c'était très bien comme ça : elle avait besoin de solitude.

Elle avait surtout envie d'échapper à la présence envahissante de Sebastian. Cet homme ne connaissait pas la modération. Sa chambre était remplie de gerbes de roses. Des coffrets de bijoux s'entassaient dans les tiroirs de sa commode et il passait beaucoup, beaucoup de temps avec elle, exacerbant son désir, mais sans calmer ses craintes.

Pourquoi faisait-il tout cela ? Pour elle ou simplement pour s'assurer de jouer son rôle de père auprès du bébé qu'elle portait ? Elle nourrissait encore des doutes sur les sentiments qu'il lui portait. En dépit de ce qu'il prétendait, avait-il vraiment révisé son jugement ? Rien n'était moins sûr.

Pourquoi cherchait-il absolument à lui offrir les titres de

propriété de la villa ? S'il l'avait crue différente d'Andrea, il l'aurait laissée tranquille, au lieu de s'acharner.

— Je savais que je te trouverais ici.

Elle sursauta en reconnaissant le son de sa voix. Son arythmie cardiaque lui jouait encore quelques tours, mais, Dieu merci, elle n'était plus tombée en syncope depuis qu'elle prenait régulièrement des bêtabloquants.

— J'avais envie de lire un moment.

Il haussa les sourcils.

— Toi qui aimes tant la nature et le soleil, pourquoi ne vas-tu pas sur la plage ?

— J'aime bien être au calme.

— Tu te cachais.

Elle rougit d'un air coupable.

— Je voulais être seule. De toute façon, tu avais du travail.

— J'ai passé la matinée enfermé dans mon bureau. Maintenant, j'ai fini. Et c'est le moment que tu choisis pour t'éclipser.

— Tu n'as pas besoin d'être tout le temps avec moi ! s'écria-t-elle un peu agressivement.

— En d'autres termes, tu voudrais que je te laisse tranquille. Maintenant que tu n'as plus rien à craindre pour ta santé, tu fais comme si je n'existais plus.

Comme si cela était possible…

— Je…

— Eh bien, tu seras contente d'apprendre que je dois repartir à Athènes pour m'occuper de mes affaires, l'interrompit-il d'un ton moqueur.

— Quand cela ?

— Je m'en vais dans une heure. Tu seras soulagée de ne plus avoir à supporter ma présence.

— Ce n'est pas vrai.

— Vraiment ? Pourtant, tu dédaignes mes cadeaux. Tu m'évites le plus possible.

— Je…

— Ne cherche pas à te justifier. Tu n'y arriveras pas.

Indiquant son livre d'un geste méprisant, il ajouta :

— Je ne t'interromps pas plus longtemps. Tu as plus important à faire que de discuter avec moi.

De nouveau, elle ouvrit la bouche pour parler, mais il l'en empêcha une deuxième fois.

— Mon absence réussira peut-être à accomplir ce que je suis impuissant à réaliser en étant près de toi.

Il avait l'air si malheureux qu'elle tendit la main vers lui.

— Sebastian…

Mais il se détourna.

— Tu n'as pas à t'inquiéter. Nardo reste ici. Il veillera à ce que tu ne manques de rien.


Une semaine plus tard, Sebastian était toujours à Athènes. Il l'appelait tous les jours, mais la conversation restait guindée, conventionnelle. Il lui demandait des nouvelles de sa santé et elle s'enquérait de ses affaires. C'était tout.

Parfois, au cœur de la nuit, Rachel s'interrogeait avec angoisse sur les raisons qui avaient poussé Sebastian à s'absenter. Il se servait peut-être de son travail comme prétexte. Un séducteur tel que lui, habitué à avoir toutes les femmes à ses pieds, ne se satisferait pas longtemps de la froideur qu'elle lui manifestait.

Elle refusait tout, ses cadeaux, ses gentillesses, par peur de devenir son obligée et surtout parce qu'elle ne lui faisait pas confiance. Elle ne lui pardonnait pas de l'avoir fait souffrir et restait convaincue qu'il la ménageait seulement à cause de l'enfant qu'elle portait. Mais elle se rendait également la vie impossible à elle-même.

Le sort qu'il lui réservait n'était finalement pas si épouvantable. Bien des femmes, enceintes par accident, auraient aimé pouvoir se marier avec le père de leur enfant. Ne serait-ce pas infiniment pire pour elle de devoir apprendre à vivre sans l'homme qu'elle aimait ? Ou de le voir épouser une autre femme, une de ces beautés sophistiquées qu'il fréquentait dans le beau monde ? Elle en avait des frissons rien qu'à y penser.

Durant les deux mois qu'elle avait passés en Californie, en dépit des efforts qu'elle déployait pour oublier Sebastian, elle avait éprouvé un besoin malsain de lire la presse à scandales européenne. Mais on n'y parlait jamais de lui. Il avait apparemment quitté le devant de la scène *people*. C'était bien sa seule consolation.

Il était aussi seul qu'elle-même.

Sauf qu'elle n'en avait pas la certitude. Qui sait s'il n'avait pas une liaison discrète ? Une maîtresse chez laquelle il se trouvait en ce moment même ? Un homme orgueilleux comme Sebastian chercherait forcément des compensations pour se venger des blessures qu'elle infligeait à son amour-propre.

Si seulement elle avait été moins intransigeante…

Après son enfance malheureuse et l'agression sexuelle qui l'avait traumatisée à seize ans, elle avait pris l'habitude de se méfier de tout le monde et des hommes en particulier. Ensuite elle avait rencontré Sebastian qui avait toujours été très gentil. Elle lui avait fait confiance instinctivement, sans trop comprendre pourquoi, mais il l'avait trahie et rejetée, en portant contre elle l'accusation la plus terrible à ses yeux : celle de n'être qu'une copie conforme de sa mère.

Même si elle l'aimait toujours, elle ne savait quelle ligne de conduite adopter. Elle avait peur de souffrir encore.

Les yeux grands ouverts dans le noir, elle se retourna sur le dos. Pourquoi l'amour était-il source de tant de problèmes ? Andrea, pourtant si égocentrique, avait eu de nombreux amants. Rachel avait l'impression que personne ne l'avait jamais aimée, sauf un père auquel on l'avait arrachée.

La sonnerie du téléphone retentit, interrompant le cours de ses pensées lugubres.

Elle jeta un œil au réveil. Minuit. Qui pouvait l'appeler à une heure pareille ? Serait-il arrivé quelque chose à Sebastian ? Elle se leva pour répondre.

— Allô ?

— Sebastian ?

— C'est moi.

— Tout va bien ?

Il émit un rire amer.

— Ne me dis pas que tu t'inquiètes !

— Tu es le père de mon enfant.

— Le géniteur, rectifia-t-il.

— Quelle curieuse façon de t'exprimer !

— C'est pourtant la vérité, puisque tu ne veux pas te marier avec moi.

— Le mariage ne résoudrait pas nos problèmes.

Il leur rendrait même la vie plus difficile car ils avaient l'un et l'autre des raisons très différentes de s'y résigner.

— Il résoudrait les miens, en tout cas, répondit Sebastian. J'aurais le droit de coucher avec toi. Je ne passerais plus des nuits entières à me morfondre seul et à me consumer d'un désir sans espoir.

— Tu ne m'as même pas embrassée une seule fois depuis notre retour en Grèce, objecta Rachel.

La remarque de Rachel, prononcée à mi-voix et presque machinalement, déclencha la fureur de Sebastian.

— Tu ne me crois pas sincère, lorsque je parle de mon désir pour toi ? Rappelle-toi pourtant nos retrouvailles passionnées en Californie. J'ai même craint pour ta santé…

— Eh bien, maintenant que je suis rétablie, tu n'as plus à te priver.

— Je préfère attendre d'être marié. Je ne veux pas heurter ton sens moral.

— Un baiser n'a jamais déshonoré personne ! rétorqua-t-elle, sarcastique.

Il lui faudrait trouver d'autres arguments, s'il souhaitait réellement la convaincre…

— Tu sais très bien ce qui arriverait, si je commençais à t'embrasser. Nous ne pourrions pas nous arrêter.

C'était absurde…

— Tu ne t'es pas embarrassé de ce genre de principes la fois où nous avons fait l'amour ! Tu as même pris soin de souligner que cela ne nous engageait en aucune façon.

— Eh bien, j'ai changé. La prochaine fois que nous ferons l'amour, *yineka mou*, tu le désireras autant que moi. Tu voudras me prouver que tu es mienne, dans ton corps, mais aussi dans ton cœur et ton esprit.

— Dire que tu ne voulais surtout pas faire de promesses, la première fois ! Tu es très contradictoire.

— Dès le moment où j'ai été en toi, j'ai résolu de t'épouser.

Se rendait-il compte à quel point cela paraissait stupide ?

— Ce n'est pas ce que j'ai compris le lendemain matin !

— J'ai perdu la tête. Je me suis égaré dans des raisonnements spécieux et j'ai prononcé des mots qui n'auraient jamais dû franchir mes lèvres. Mais cela ne change rien à la détermination qui s'était formée au fond de moi au moment où nos deux corps se sont unis.

Disait-il la vérité ? Après tout, il n'avait aucune raison de mentir… Si l'acte physique l'avait bouleversé aussi profondément, cela expliquerait aussi l'intensité de son rejet quand le doute s'était insinué en lui. Ils étaient l'un et l'autre prisonniers de leurs émotions.

— Quand rentres-tu ? demanda Rachel, incapable de formuler une réponse claire.

— Je ne sais pas, soupira-t-il.

La cœur de la jeune femme se serra.

— Oh !

— Tu as l'air déçue.

— Je le suis.

Un silence embarrassé suivit cet aveu.

— Tu pourrais me rejoindre à Athènes.

Comme elle ne répondait pas, il ajouta :

— Excuse-moi, je n'aurais pas dû te…

— Ne t'excuse pas, coupa-t-elle avant qu'un nouveau malentendu s'installe. J'ai envie d'accepter.

— Comment ?

C'était lui qui était interloqué, à présent.

Rachel se rendait compte qu'il ne servait à rien de prolonger la séparation. Elle ne réussirait pas à reconstruire des défenses solides et de toute manière, loin de lui, elle souffrait trop. Rassemblant son courage à deux mains, elle déclara dans un souffle :

— J'accepte ton invitation.

— L'hélicoptère viendra te chercher demain matin.

— Je serai prête.


Rachel se sentait tellement nerveuse que le voyage lui sembla trop court. Déjà, l'hélicoptère se posait sur le toit du building des Industries Kouros.

Sebastian l'attendait. Après l'avoir aidée à descendre de l'appareil, il passa un bras protecteur autour de sa taille pour l'éloigner rapidement des pales. Puis, dès qu'ils furent à l'abri du vacarme, il s'arrêta pour l'embrasser.

Ce fut un baiser ardent, auquel elle s'abandonna tout entière. Quel bonheur de retrouver le goût de ses lèvres, de se sentir de nouveau à l'abri au creux de ses bras…

Quand il s'écarta, elle se tendit vers lui de tout son être, dans l'espoir de prolonger ce moment trop vite passé. C'était la première fois depuis de longs mois qu'elle éprouvait un tel sentiment de bien-être. La tête penchée en arrière, elle le dévora avidement des yeux.

Il avait l'air éreinté, mais heureux.

— Tu es venue, dit-il simplement.

— Bien sûr.

Leurs regards en disaient long sur le tumulte de leurs émotions, mais une sorte de retenue leur nouait la gorge.

— Tu vas te marier avec moi ? demanda enfin Sebastian.

— Tu n'y vas pas par quatre chemins.

— J'aimerais me montrer plus tendre et romantique, mais pour l'instant, j'en suis incapable. J'ai besoin de savoir que tu vas être à moi.

A quoi bon lutter davantage ? Elle en avait envie autant que lui…

— Oui, murmura-t-elle simplement.

Le baiser qui suivit son consentement l'étourdit totalement. Elle n'eut même pas conscience d'être portée jusque dans l'ascenseur. C'est une exclamation choquée qui les ramena tous deux à la réalité. Une employée de Sebastian, la cinquantaine un peu guindée, les avait surpris enlacés lorsque les portes s'étaient ouvertes.

La mâchoire crispée, Sebastian se contenta d'un signe de tête et continua d'entraîner Rachel vers la limousine garée devant le bâtiment.

— Quand allons-nous nous marier ? demanda-t-il dès qu'ils furent installés à l'intérieur.

— Quand tu voudras.

— As-tu envie d'une grande cérémonie ?

— Cela m'est égal, répondit-elle avec un sourire, heureuse qu'il ne décide rien sans lui demander son avis.

Peu lui importaient les réceptions et les solennités. Elle n'avait jamais rêvé de faire un mariage de princesse. Seulement d'épouser un prince. Et c'est exactement ce qui lui arrivait.

Sebastian était parfois imprévisible dans son comportement, mais il suffisait de le comprendre. Du moins savait-il s'excuser et écouter les autres, même s'il fallait quelquefois crier pour se faire entendre... N'avait-il pas accepté d'annuler leur mariage une première fois, le jour où il avait tout organisé ? Il lui avait accordé le temps qu'elle désirait pour réfléchir. Finalement, cela n'augurait pas si mal de l'avenir.

# 10.

Mais tout n'était pas si facile. Rachel s'en rendit compte peu après en réclamant la présence de Philippa à la cérémonie. Elle était en voyage à l'étranger et Sebastian refusait de repousser la date jusqu'à son retour.

— C'est au-dessus de mes forces d'attendre encore une semaine supplémentaire, déclara-t-il.

— Jusque-là, rien ne nous empêche de vivre ensemble, suggéra Rachel, le rouge aux joues.

— Il n'en est pas question et je t'ai déjà expliqué pourquoi. C'est une affaire d'honneur et d'amour-propre.

Rachel eut beau s'entêter, avancer plusieurs arguments, Sebastian demeura inflexible. Soit ils se mariaient tout de suite et vivaient ensemble, soit ils patientaient encore un peu et Rachel occupait seule l'appartement, car il avait peur de succomber aux instances de sa libido.

Ils étaient dans une impasse.

Les huit jours qui venaient de s'écouler comptaient parmi les plus douloureux dans la vie de Rachel. Sebastian lui avait manqué. Terriblement, dans toutes les fibres de son être, et elle n'avait pas du tout envie de prolonger ce calvaire. Mais en même temps, par pur orgueil, elle ne voulait pas lui avouer ses faiblesses.

Son embarras empira lorsqu'il revint en arrière pour

accéder à la demande qu'elle avait exprimée en premier lieu. Reconnaissant qu'il avait eu tort de précipiter les événements et qu'il était légitime d'attendre le retour de Philippa, il se confondit en excuses.

Rachel n'avait qu'à s'en prendre à elle-même... Si elle n'avait pas fait un scandale le jour où leur mariage aurait dû avoir lieu, ils vivraient déjà ensemble... Quand il parla de l'emmener acheter une nouvelle robe, elle insista pour garder celle qu'il avait choisie et qu'elle adorait.

Assise avec une tasse de lait chaud sur le canapé où ils s'étaient aimés quelques mois plus tôt, Rachel méditait sur la détermination incroyable que Sebastian manifestait à la rendre heureuse. Elle avait très envie d'y croire. Et pourtant, en même temps, elle avait très peur d'aller au-devant d'une immense déception...

Elle s'efforça de se rassurer. Il avait fait beaucoup de concessions et ne paraissait pas uniquement motivé par le souci de sa paternité. D'autre part, la sexualité, qui revêtait beaucoup d'importance, ne pouvait pas suffire à expliquer ses actes. Sinon, il aurait fait fi de la cérémonie pour se rendre à l'impatience de sa future épouse.

La semaine qui précéda le mariage parut interminable à la jeune femme. Lorsqu'elle accompagna Sebastian devant l'autel de la petite église orthodoxe où ils allaient prononcer leurs vœux, elle était toute tremblante d'appréhension. Même s'ils avaient déjà fait l'amour, elle se demandait avec une certaine inquiétude si elle parviendrait à satisfaire le désir ardent qui brillait au fond des yeux de son fiancé.

Dans son regard, elle devinait autre chose, d'indéfinissable et qui la rendait extrêmement nerveuse. La pensée qu'il éprouvait peut-être des sentiments vrais et sincères la bouleversait. Cela lui avait paru naguère si inespéré…

Pourtant ses craintes s'évanouirent comme par enchantement lorsque, devant le pope, elle se tourna vers lui pour l'échange des anneaux. Elle, en tout cas, était amoureuse. Maintenant et pour toujours. Elle se jura de se montrer à la hauteur du rêve qui l'habitait.

Dans le palace qui devait abriter leur nuit de noces, Sebastian la porta dans ses bras pour lui faire franchir le seuil de la chambre. Tandis qu'elle lui souriait avec un amour infini, il se pencha pour embrasser ses lèvres, dans un long baiser plein de passion et d'ardeur.

— Merci, chuchota-t-il d'une voix rauque en redressant la tête.

— Pourquoi ? l'interrogea-t-elle, confuse.

— Pour avoir accepté de m'épouser. Je te promets de te rendre heureuse, *yineka mou*.

— Il me suffit d'être avec toi pour être heureuse, répondit-elle, le cœur débordant d'émotion.

Il murmura quelque chose en grec qu'elle ne comprit pas. Mais elle devina le sens de ses paroles quand il l'entraîna jusque vers le grand lit à baldaquin qui occupait le centre de la pièce. Là, sans cesser de dévorer ses lèvres, il dénuda ses épaules en écartant le tissu soyeux de sa robe et sa bouche descendit lentement le long de son cou vers sa poitrine. Un frémissement visible se dessina sur la peau de Rachel. Elle avait la chair de poule.

Tout était arrivé très vite entre eux, la première fois. Maintenant, au contraire, rien ne pressait. Sebastian prenait le temps d'explorer chaque centimètre carré de son corps, cherchant les zones sensibles, apprenant à la connaître. Elle frissonnait, tremblante, abandonnée.

Emue par tant de douceur et de patience, elle se pressa contre lui, tandis que des larmes perlaient sous ses paupières closes.

Percevant son trouble, Sebastian s'immobilisa un instant.

— Pourquoi pleures-tu ?

— Je ne sais pas. Je ne peux pas m'en empêcher.

Elle entrouvrit les yeux et un étonnement sans bornes la saisit. Sebastian était lui aussi tellement ému qu'il en avait les yeux humides.

— Comme tu es belle, *yineka mou* ! Et tu es à moi.

La gorge nouée, incapable de proférer un son, elle se contenta de hocher la tête.

Il continua à la dévêtir, murmurant contre sa chair, comme autant de caresses, des mots doux en anglais, puis en grec. Ensuite il se tut pour prendre entre ses lèvres la pointe de ses seins dressés. Enfouissant les doigts dans ses cheveux, elle s'arc-bouta de toutes ses forces contre lui, pendant qu'il l'amenait tout au bord de la jouissance.

— Sebastian, oh ! Sebastian… Mon chéri, mon amour…

Ses paroles devinrent plus indistinctes et se transformèrent en plaintes tandis qu'il embrassait et mordillait la chair gonflée, sans lui laisser aucun répit. A plusieurs reprises, elle crut défaillir et mourir de plaisir. Et puis, tout à coup, le plaisir l'emporta comme un raz-de-marée et elle poussa un cri avec l'impression que son corps explosait.

Enfin, après un dernier frisson qui la convulsa tout entière, elle retomba inerte sur le lit, avec seulement une vague conscience de ce qui lui arrivait.

Une pluie de baisers s'abattit sur son visage. Elle les reçut avec une sensation de bonheur délicieux, mais sans pouvoir y répondre. Quand Sebastian roula sur le côté, elle rassembla assez d'énergie pour protester.

— Où vas-tu ?

Il était en train de se déshabiller.

— Nulle part. Je veux m'unir à toi complètement, pour consommer notre mariage.

Elle hocha la tête, simplement.

Cependant, devant le spectacle de sa nudité, elle ne put s'empêcher de marquer une certaine appréhension et sa gorge sèche se contracta douloureusement. Dès qu'il perçut son trouble, Sebastian s'agenouilla à côté d'elle et s'efforça de la rassurer.

— Je ne te ferai aucun mal, ma chérie. Tu ne souffriras plus jamais à cause de moi.

Cela ressemblait à une promesse et elle réussit à esquisser un sourire.

— Touche-moi, l'implora-t-il soudain, d'une voix qu'elle ne reconnaissait pas.

Elle tendit une main hésitante et il la guida, très doucement d'abord, puis avec plus de fermeté. Rachel lui sut gré de son aide et de sa patience et gagna vite de l'assurance. Que ce géant grec si sûr de lui ait besoin d'elle la bouleversait.

Il se mit à gémir.

— Tu es merveilleuse, *agape mou*, tu me donnes beaucoup de plaisir.

Tandis qu'elle le caressait, une sensation nouvelle l'envahissait, qu'elle n'arrivait pas encore à analyser.

— J'ai besoin de toi, Rachel.

Un sourire ravi éclaira le visage de la jeune femme.

— Sebastian, mon amour…

Elle aussi, pendant ces moments-là, pouvait utiliser ces mots délicieux, que peut-être elle n'oserait plus prononcer ensuite…

Il s'écarta légèrement pour contempler son expression.

— Répète…

— Quoi donc ?

— Je suis vraiment ton amour ?

Malgré l'envie qu'elle en avait, elle se sentit incapable de répondre.

— Cela ne fait rien, murmura-t-il avec une expression doulou-reuse. Je suis tout de même heureux que tu sois ma femme.

— Tu as envie que je t'aime ? s'enquit-elle timidement.

— Naturellement. Quel mari n'a pas envie que sa femme l'aime ?

Un homme qui se serait marié uniquement par obligation par exemple…

Curieusement, plus il devenait évident que Sebastian était sincère, plus Rachel avait peur. Malgré tout, quelque chose dans son esprit devint subitement limpide. Ce qu'elle éprouvait pour lui n'avait pas besoin d'être partagé. L'amour est un senti-ment généreux, qui ne peut pas demeurer caché dans l'ombre et demande à s'exprimer. Même si elle n'était pas sûre de lui, même si ce n'était que l'orgueil de Sebastian qui parlait, elle avait assez d'amour à lui donner pour garantir leur bonheur à tous les deux.

— Je t'aime, Sebastian.

Elle ne comprit pas sa réponse.

Il l'entraîna dans un tourbillon d'une violence inouïe, comme si tout à coup la passion l'égarait. Ivre de ses caresses, elle cria son nom avec une urgence qui réclamait une union plus forte, plus intime. Quand il la pénétra, leurs deux corps se mêlèrent en bougeant à l'unisson, dans un rythme qui les emporta ensemble jusqu'au paroxysme.

Quelques instants plus tard, Sebastian roula sur le dos, mais sans rompre le contact étroit de leur étreinte. Rachel savourait cette sensation nouvelle, en poussant des petits soupirs d'aise.

— Raconte-moi ce qui t'est arrivé à seize ans.

C'était bien la dernière chose qu'elle s'attendait à entendre dans un moment pareil…

— Pourquoi ?

— J'ai refusé de t'écouter, ce matin funeste où j'ai perdu la tête. Par la suite, tu ne peux pas imaginer à quel point je l'ai regretté. Mais si c'est trop pénible pour toi, je comprendrai que tu ne veuilles plus en parler.

Rachel découvrait une facette inconnue de sa personnalité, sensible et délicate.

— Pourquoi tiens-tu à entendre ce récit ? demanda-t-elle.

Il eut l'air embarrassé, mais très sérieux.

— Je ne veux rien faire, jamais, qui puisse te rappeler cet épisode.

— Aucune de tes caresses ne pourra jamais me faire penser à cet homme, l'assura-t-elle.

— Tant mieux.

Elle inspira profondément, tandis que d'odieux souvenirs remontaient à sa mémoire.

— Je n'en ai jamais parlé à personne, sauf à Andrea.

— La connaissant, elle n'a pas dû te témoigner beaucoup de compassion.

— Elle m'a simplement dit de me taire et d'oublier.

C'est à ce moment-là que Rachel avait cessé d'aimer sa mère. Son cœur était devenu complètement sec.

— Je suis désolé pour toi, *yineka mou*. Andrea ne t'a pas protégée comme une mère devrait protéger sa fille.

Rachel prit son courage à deux mains pour entamer son récit. A son habitude, elle se cachait dans sa chambre pendant une soirée que donnait Philippa. Un homme était entré et avait refermé la porte doucement. En allumant la lumière, Rachel avait reconnu le jeune frère de l'amant de sa mère. Il était soûl. Elle s'était sentie salie par son regard insistant, lubrique.

Elle avait eu peur.

Quand il s'était approché, sa peur s'était muée en terreur. Elle avait poussé un cri, mais il l'avait giflée pour la faire taire. De toute façon, personne ne l'avait entendue à cause de la musique. Elle s'était débattue. Il avait néanmoins réussi à lui ôter sa culotte et le contact de sa main sur son sexe, puis de ses doigts insistants, lui avait arraché un hurlement de douleur, avec une stridence dont elle ne se serait jamais crue capable.

La porte s'était ouverte sur le frère de son agresseur, qui l'avait pris au collet pour l'insulter et le jeter dehors. Andrea était arrivée sur ces entrefaites. Rachel sanglotait. Elle avait du sang sur les cuisses à cause de son hymen déchiré.

— Andrea a refusé de m'emmener à l'hôpital. Pourtant, j'étais terrifiée.

Les mains de Sebastian tentaient de soulager la tension qui lui nouait la nuque.

— Tu as porté plainte ?

— Non, elle m'a demandé de ne rien dire. Ensuite elle s'est contentée de faire installer un verrou sur la porte de ma chambre. Six mois plus tard, elle épousait ton oncle et nous nous installions en Grèce.

— Et elle s'est appropriée ton expérience pour la reprendre à son compte. Elle a séduit Matthias en posant à la victime innocente.

— Oui.

Une ombre voila les yeux gris de Sebastian.

— Dire que je t'ai accusée d'être comme elle ! Je comprendrais que tu ne veuilles jamais me pardonner.

Mais Rachel se sentait libérée du poids de son passé.

— Je te pardonne. Tu avais l'esprit confus. Ce n'est pas ta faute. Tu n'y comprenais plus rien.

Et puis, s'il avait vraiment été convaincu de ce qu'il avançait, l'opinion de sa mère n'y aurait rien changé…

— Pour mon plus grand chagrin. Si cela peut te consoler, j'ai largement payé pour mon arrogance. J'avais le cœur en lambeaux, de ne pas retrouver la moindre trace du passage de Rachel Long, nulle part.

— Tu m'as cherchée ?

— J'ai même engagé un détective privé qui a remué ciel et terre. Vainement.

— Puisque Rachel Long n'existe pas, acheva-t-elle à sa place.

— En tout cas, Rachel Kouros existe bel et bien, Dieu merci.

— Je t'aime.

Les mots sortirent plus facilement, cette fois-ci.

Il ferma les yeux, comme sous le coup d'une douleur intolérable. Quand il les rouvrit, ils étaient empreints d'une infinie tendresse.

— Tu n'as rien à voir avec Andrea.

— Je sais.

Comme il lui avait fallu du temps pour s'en rendre compte !

— Je serai très fier que tu sois la mère de mon enfant.

— J'en veux au moins trois, déclara-t-elle avec un sourire plein d'espoir. J'ai toujours rêvé d'une grande famille.

Il secoua la tête gravement.

— Alors, nous adopterons. Je refuse que tu aies d'autres grossesses.

Rachel eut l'impression que sa bulle de bonheur éclatait.

— Pourquoi ?

— J'aurais trop peur pour ta santé. J'ai pris des mesures pour te mettre à l'abri.

— Lesquelles ? interrogea Rachel, interdite.

— J'ai rendez-vous dans un mois pour une vasectomie.

Elle se redressa dans un sursaut horrifié.

— Tu ne peux pas faire une chose pareille !

Il plongea son regard dans le sien.

— Si, murmura-t-il en l'attirant de nouveau contre lui.

— Je parle de la vasectomie, précisa-t-elle tandis qu'il recommençait à se mouvoir doucement en elle.

— Je ne veux t'exposer à aucun risque. Je tiens trop à toi.

Appuyant ses mains sur ses hanches, il leur imprima un mouvement régulier qui ne tarda pas à les emporter tous deux.

— Comprends-tu ce que je suis en train de te dire ? demanda Sebastian.

Les yeux de Rachel s'emplirent de larmes de joie.

— Tu m'aimes…

— Naturellement. Tu n'en doutes plus, j'espère ?

— Mais tu étais tellement… cassant, péremptoire…

— Oublie ces instants d'égarement. Je n'avais jamais rien ressenti de tel pour aucune autre femme. J'avais peur de moi-même et de la violence de mes sentiments. Terriblement. Au point de préférer te rejeter pour ne pas souffrir.

Rachel prenait enfin conscience de ce qu'il avait enduré, lui aussi.

— J'ai détruit quelque chose de très beau qui était en train de naître entre nous, conclut-il.

Elle posa une main sur son cœur.

— Tu ne l'as pas détruit, puisque nous sommes réunis de nouveau.

— Et tu m'aimes encore ?

Il paraissait si hésitant qu'elle en fut choquée.

— Je suis tombée amoureuse de toi alors que j'avais à peine dix-sept ans, lui avoua-t-elle spontanément. Tu es le seul homme auquel j'ai offert mon corps et le seul qui le connaîtra jamais.

— Je ne te mérite pas, murmura-t-il contre sa bouche. Mais jure-moi que tu ne me quitteras jamais.

— Je le jure, répondit-elle avec ferveur.

Ils cessèrent bientôt de parler pour laisser leurs corps s'exprimer à leur place. C'était pour Rachel un langage nouveau mais qu'elle apprenait vite, grâce à Sebastian. Il la laissa trouver son propre rythme avant de reprendre l'initiative et le plaisir explosa dans leurs têtes comme un feu d'artifice.

Un peu plus tard, ils prirent un bain ensemble dans le spa. Une douce euphorie avait gagné Rachel, qui riait sans raison, simplement heureuse de se laisser aller.

Sebastian la serra dans ses bras.

— Je donnerais tout ce que je possède pour avoir la joie de t'entendre rire ainsi très souvent dans les années à venir, déclara-t-il.

— Je ne veux que ton amour, répondit-elle.

— Il est inépuisable, *yineka mou*.

Et il le lui prouva de multiples façons.

Cédant aux instances de Rachel, il renonça à la vasectomie. Il en coûta certainement beaucoup à sa fierté d'homme grec, mais il obtempéra, non sans avoir auparavant consulté de nombreux spécialistes. Il consentait seulement à un deuxième bébé, mais Rachel ne s'en tiendrait pas là et ne désespérait pas de devenir mère de famille nombreuse.

Un mois avant la naissance de leur premier enfant, la jeune femme reçut la visite surprise d'un Américain qui s'avéra être son père, et que Sebastian avait retrouvé après de longues recherches. Le visage de cet homme au regard un peu triste s'illumina à la vue de sa fille chérie.

Il avait passé les dix-huit dernières années en vaines investigations. Andrea, qui s'était vengée de leur divorce en lui enlevant Rachel, avait habilement brouillé les pistes qui auraient pu le mettre sur la voie.

Il ne s'était jamais remarié parce qu'il n'avait pas surmonté le chagrin d'avoir perdu sa fille.

La nuit qui suivit ses retrouvailles avec son père, Rachel se serra contre Sebastian encore plus amoureusement que d'habitude.

— Ce sera un merveilleux grand-père. C'est un homme

extraordinaire. Te rends-tu compte qu'il a dépensé des milliers de dollars pour essayer de me retrouver ?

— Cela ne m'étonne pas. A sa place, j'aurais fait pareil.

Dans le mois qui suivit leurs retrouvailles, Rachel donna naissance à son enfant. Son père et la mère de Sebastian découvrirent qu'ils avaient infiniment plus de choses en commun que d'être les heureux grands-parents d'une jolie petite fille. Ils se marièrent le jour où Rachel apprit qu'elle était enceinte pour la deuxième fois.

Après avoir tant manqué d'amour, la jeune femme s'émerveillait, jour après jour, d'être au centre d'une véritable famille et de la capacité, sans cesse renouvelée, que Sebastian et elle avaient de se donner et de recevoir un si grand bonheur.

# collection *Azur*

## Ne manquez pas, dès le 1<sup>er</sup> juin

### PRISONNIERS DU MENSONGE, *Kim Lawrence* • N°2687

Invité à la campagne pour le week-end, Santiago a la surprise de se retrouver face à Lily, la femme dont il est tombé amoureux quelques mois plus tôt avant de découvrir qu'elle lui avait menti. Pâle, amaigrie, visiblement déprimée, Lily n'est plus que l'ombre d'elle-même. Que lui est-il arrivé ? Santiago redoute soudain d'avoir commis une erreur en jugeant trop vite la jeune femme…

### RENDEZ-VOUS AVEC UN MILLIARDAIRE, *Helen Brooks* • N°2688

 Horriblement gênée, Cory se précipite vers l'homme que son labrador a renversé par mégarde dans Hyde Park. Mais sa gêne se mue en trouble devant le bel inconnu… qui l'invite bientôt à dîner dans le night-club le plus prisé de Londres. Charmée malgré elle, Cory accepte, tout en redoutant de se brûler les ailes au contact de ce redoutable séducteur…

### PRIS AU PIÈGE DE LA PASSION, *Sandra Field* • N°2689

Alors qu'elle parcourait des yeux la foule des invités qui se pressaient à la réception annuelle de Belle Hayward, Clea croisa soudain un regard brûlant, envoûtant… Elle frémit. Comment un inconnu pouvait-il lui faire autant d'effet ? Était-ce le coup de foudre ? Impossible : après avoir vu sa mère enchaîner mariages et divorces, Clea ne croyait plus à la magie de l'amour. Et pourtant…

### UNE NUIT D'AMOUR INOUBLIABLE, *Anne Mather* • N°2690

 De retour à Santorin après des années d'absence, Helen retrouve Milos, l'homme qu'elle a aimé quatorze ans plus tôt mais qu'elle a fui parce qu'il était marié à une autre. Un homme toujours aussi séduisant. Une chose, cependant, a changé. Helen, aujourd'hui, n'est plus seule. Elle est venue avec sa fille, la fille qu'elle a eue de Milos…

Et les 4 autres titres…

*UN IRRÉSISTIBLE VOISIN*, *Maggie Fox* • N°2691

Dans l'espoir de recouvrer le goût de vivre après la mort brutale de son époux, l'été précédent, Rowan est venue s'installer dans le charmant cottage qu'elle possède au bord de la mer. Mais c'est compter sans la présence déstabilisante de son voisin, un homme odieux que son divorce a visiblement rendu amer. Un homme odieux, certes, mais qui peut se montrer charmant, réveillant peu à peu en Rowan un trouble oublié…

*LA MÉMOIRE BRISÉE*, *Lucy Monroe* • N°2692

Après le terrible accident de voiture dont elle vient de réchapper, Eden sent un immense soulagement l'envahir en apprenant que son mari est lui aussi hors de danger. Mais quand elle peut enfin se rendre à son chevet, Eden découvre, effarée, qu'Aristide, victime d'une amnésie partielle, n'a aucun souvenir d'elle et de leur rencontre…

*L'ÉTINCELLE DU DÉSIR*, *Robyn Donald* • N°2693

Parce qu'il ne supporte pas l'idée que sa sœur, à qui il est très attaché, puisse souffrir, Curt décide de séduire l'intrigante qui semble avoir une liaison avec son beau-frère. Mais son stratagème se retourne contre lui dès qu'il voit la jeune femme. A tel point que, de plus en plus sous le charme, il redoute bientôt de perdre le contrôle de la situation…

*UN ENNEMI TROP ATTIRANT*, *Darcy Maguire* • N°2694

*Irrésistibles patrons* Alors qu'elle pense que sa nomination au poste de directrice du marketing va être rendue publique, Tahlia apprend, horrifiée, que la promotion tant attendue lui échappe au profit d'un parfait inconnu. Un homme qui, non seulement, lui a volé le poste qu'elle convoite depuis si longtemps, mais qui croit pouvoir l'amadouer avec ses sourires enjôleurs…

*Collection Azur*
*8 titres le 1ᵉʳ de chaque mois*

Attention, numérotation des livres pour le Canada différente : numéros 1335 à 1342

69 L'ASTROLOGIE EN DIRECT
TOUT AU LONG
DE L'ANNÉE.

(France métropolitaine uniquement)
**Par téléphone 08.92.68.41.01**
0.34 € la minute (Serveur JET MULTIMÉDIA).

Composé et édité par les
*éditions* Harlequin
Achevé d'imprimer en avril 2007

**BUSSIÈRE**
GROUPE CPI

à Saint-Amand-Montrond (Cher)
Dépôt légal : mai 2007
N° d'imprimeur : 70398 — N° d'éditeur : 12760

*Imprimé en France*